情不知所起，一往而深。
尋著心之所向，乘著拂曉清風，
流往那剎那即永恆之境。

情不知所起，一往而深。
尋著心之所向，乘著拂曉清風，
流往那刹那即永恆之境。

Contents

作者想說……

如果兩條平行線有了交集，故事會如何發展呢？

這是我在寫《海洋之戀》（Love Sea）時，對自己提出的疑問。長期關注 MAME 作品的讀者，應該會注意到出現在《夏日戀曲》（Love Sand）裡的 Mahasamut 和 Tongrak 兩個人，當時 MAME 想知道，如果一個俊美性感的作家遇到了一個像 Mahasamut 這樣直率奔放的年輕人，會有什麼樣的火花？雖是這麼想，但由於忙碌的行程讓我始終沒有時間動筆，直到我開始有機會製作一部關於海洋的戲劇。

撰寫這本書時是以小說及戲劇兩種形式同時進行，因此小說與劇本沒有太大的區別，在寫完小說後也同時完成了劇本，如果您看過小說，請別忘了關注 FortPeat 主演的戲劇，希望您能同樣喜愛它們。

好啦，把話題繞回《海洋之戀》，這兩個孩子實在是太可愛了！MAME 試圖發展讓這兩個人互相學習、彼此成長，感受到被愛與必須去愛的故事。哦哦，劇透了嗎？沒關係，大家都知道 MAME 喜歡劇透（Fort 說 MAME 姐的劇透程度總是高過於他），所以就讓我微劇透一下吧。

最後，我想告訴大家的是，非常感謝各位一直以來的支持。我出的書不算太多，這個故事可說是五年來一個全新的突破，所以我真的滿懷感激。不管是誰拿起了這本書，都感謝您讓 MAME 能有新的嘗試。我知道我不是一

個很聰明的人,但我會努力做到最好,感謝大家給予的所有鼓勵,不管 MAME 還會再拍幾部戲,MAME 還是那個 MAME,是一個想用文字讓人微笑的小作家。另外要感謝我的姊姊(現實生活中)對 MAME 總是那麼有耐心,也感謝出版社一直以來的照顧與協助。

　　願大家幸福,願 TongrakMahasamut(必愛海洋)。

Thank you for supporting me
and my dreams na ka ♡

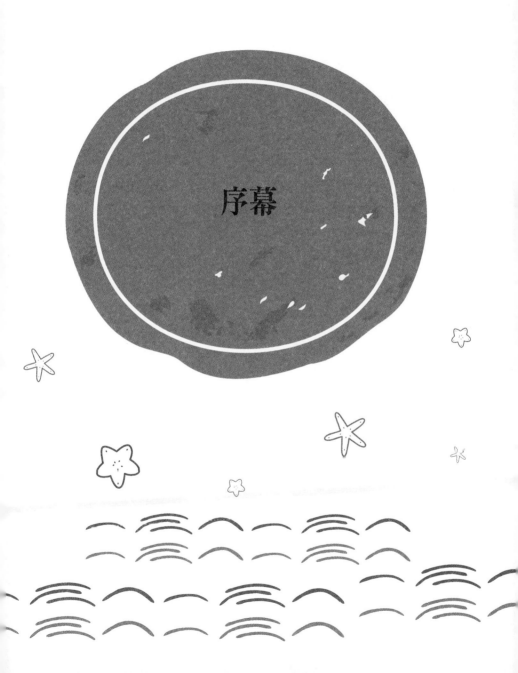

序幕

＃愛是煩人的，戀愛中的人更加煩人

無聊。

「Connor，我自己洗碗。」

「哦！親愛的，你煮飯我負責洗碗，別累著了。」

煩人。

「Khom 我覺得你好像瘦了，你看，腰都變細了。」

「你只是想找個藉口抱我而已，放開我，Rak 在這裡。」

「別管他，我又沒有請他來。Khom，你聞起來真香。」

煩死了！！！

「好了，Connor 不要再碰我了，夠了。」

「該死的變態外國人！」

豪華公寓中，那個躺在沙發上一個多小時的男人，終於受不了地大聲斥責他的外國朋友，因為對方與那位小男友快把自己給閃瞎了。

這句話讓雙頰緋紅的年輕男子急忙抓住那個往自己衣服底下探去的大手，有些生氣地開口：

「Connor，放開我！」

那位被斥責的 Connor Warrington 卻只是看著自己的男友，簡短地回答：

「不放。」

「Connor ！！」

Connor 身體力行地將臉埋進了男友的頸項，雙唇印上那片黝黑光滑的肌膚，這動作引起了 Khom 更大的抗議，

9

然而他越是掙扎，Connor 便越是攻擊他的敏感部位，完全把另一個人當成了空氣。

被當空氣的那個人也毫不客氣地狠批：

「厚顏無恥。」

「如果你說的『厚顏無恥』指的是不請自來、吃完飯後又不幫忙收拾、未經主人允許就自作主張躺在一邊還要對別人指手畫腳的人，我想那個人應該更清楚誰才是真正的厚顏無恥。」

坐在沙發另一端的男人話一落下，那個高調與小男友曬恩愛的加拿大男孩便立刻用好聽的嗓音反駁，輕柔的語調與口中的諷刺有著鮮明的對比。Connor 抬起頭，耀眼的碧眸看向心愛的男友，在他額上落下一吻。

「看看你的臉，真可愛。」

要是沒有聽到之前的話，或許 Khom 會笑得很燦爛，但現在他只能露出一抹乾笑。

「Connor！」屋子裡唯一的客人突然站起身，語氣憤怒。

但很快地，他又露出了甜甜的笑容，因為知道自己生氣也不會讓對方有什麼反應。

「你這個瘋子、神經病、混帳、任性的小鬼！」

「哇，最後一句是在罵你自己嗎？ Rak ？」回應咒罵的是房子主人的笑聲。

兩人的笑容與眼底的針鋒相對形成強烈氣場，不管是誰都不想輕易退縮，這場面讓 Khom 下了結論——兩位一

樣任性。

認識他們將近半年的時間，Khomgrich 知道最好不要讓這兩人爭執，因為……

「如果我是你的話，Khom，我一定跟這個瘋子分手。」

Tongrak 帶著迷人的微笑轉過頭，看向小他十歲的南方男孩，讓 Khom 覺得 Tongrak 之所以會這麼受歡迎不是沒有原因，那張漂亮的臉孔、白皙光滑的肌膚，再加上完美的身材，所有外在條件都讓人難以抗拒他的魅力，而那雙張揚的蜜色雙眼，更是足以吸引眾人的目光。

在這之前，他可能也會被對方的外表吸引，但現在不會了。

他轉過身看著摟住自己腰際的男人，害羞地開口：

「我不會分手。」

「聽到了沒？就算你再怎麼挑釁，Khom 也不會跟我分手。」Connor 雙手將 Khom 抱得更緊，讓他的臉埋進自己的胸口。

眼前的畫面讓 Tongrak 只能面露不快，嘟著嘴。

「因為分手就沒人負擔我的學費了。」

「噢，親愛的！」

Tongrak 聞言大笑出聲，當他看到那個認識十幾年從未向別人低過頭的朋友，此時正對懷中的人兒低聲下氣的樣子就覺得十分有趣，內心的不悅也減少了泰半。他真的很喜歡這個男孩。

約莫一年前，他最好的朋友 Connor 打電話來，要他幫

忙找一所私立大學以及一間公寓時，他還以為對方是在開玩笑，沒想到 Connor 居然是對一個男孩動了心，而且還是真心喜歡的對象！Connor 甚至在背後原有的老虎刺青加上了 Khom 的名字，讓 Tongrak 對 Khom 產生了無比的好奇。

當他終於見到 Khom，頓時明白 Connor 為什麼會心動，因為 Khom 有著一股自己和 Connor 都不具有的單純與天真。

Tongrak 承認自己也喜歡對方，但只是因為 Khom 的個性，他不是那種會碰朋友對象的人。

「你只在意我會不會幫你負擔學費嗎？Khom？」那個任性的外國人用可憐兮兮的語氣說話，聽起來令人有點毛骨悚然，「儘管我是如此地愛你？」

Connor 真的非常迷戀他的小男友。

Tongrak 看了漲紅臉的男孩一眼，男孩看起來一副準備要回嘴的樣子，他連忙插口：

「好了好了，我聽不下去了。不說了，你們要恩愛能不能去別的地方啊？有夠噁心的。」

要是再聽他們兩人甜言蜜語下去，自己肯定會蕁麻疹發作。

「你可以離開不要看。」加拿大男子毫不留情地下了逐客令。

Tongrak 對他露出一抹笑意，接著用力地坐回了沙發上。

「不。」

　　他拿了一顆抱枕枕在頭下，再抱住了另一顆，向屋主證明就算對方要把自己趕出去，自己也絕對不會妥協。Tongrak 的雙眼直視好友，對方不爽地鼓起雙頰。

　　在遇到 Khom 之前，Connor 這個瘋狂的外國人和自己有著同樣的想法：愛情就是一場荒唐的鬧劇，沒有什麼比快樂來得重要。Connor 比自己還要糟糕，他流連花叢甚至讓無數人為他傷心哭泣過。

　　然而，看看現在的他。

　　這位朋友真的改變了很多。

　　從一個只要看上眼隨時能帶對方開房的獵人，到現在眼裡只有那個男孩、一心一意只為對方付出的傻瓜，不知道該形容 Connor 是蠢還是瘋，但不知道為什麼……又莫名覺得很可愛。

　　就像這樣。

　　在意識到自己和對方的碧眸對上後，Tongrak 別開了視線。

　　「Khom，你幫我檢查一下行李，看看我的紀念品有沒有放進去。」Connor 輕推了推男友，露出溫柔的笑容。

　　「好的。」

　　Khom 消失在客廳後，沉默籠罩了室內，正當 Tongrak 猛一個想起身，卻被好友按住了頭。

　　「寂寞嗎？」

　　「我說過不要弄亂我的頭髮。」Tongrak 生氣地揮掉他的手。

　　Connor 不介意好友的怒氣，在他身邊坐了下來，抓住他的肩膀。

　　「要是寂寞就找個人陪啊。」

　　「不想找。」他固執地回嘴。

　　「我有男朋友了啊，Rak，不能每天在飯後聽你抱怨三遍。」

　　「我不是飯後必須吃的藥，別裝一副好人的樣子，現在你跟我通電話不會超過三分鐘。」

　　「在你的靈感塞車時，我還是可以當你的枕頭讓你依靠。」Connor 半開玩笑地說。

　　「所以我說你別假了，明明已經半年沒當過我的枕頭了。」

　　Tongrak 的語氣有點受傷，他並不是嫉妒好友，只是……

　　「我不再是你的玩具了。」

　　是的，他看起來就像個玩具被奪走的小孩。

　　Tongrak 出國留學時認識了 Connor，他喜歡對方的外表及個性，認為對方是自己重要的朋友，但兩人就只是單純的友伴，沒有身體上的關係。Connor 也是唯一一個能讓他毫不保留做自己的朋友。

　　而現在，他的朋友卻將注意力放在了別人身上，Tongrak 覺得自己像是被拋棄了。他並不是嫉妒對方有了喜歡的對象，只是缺少了朋友的陪伴，讓他覺得很失落。

　　「如果你嫉妒的話，也找個對象如何？」Connor 平靜

地開口。

「我沒說是嫉妒你。」

「你不想要談戀愛、不想要另一半，就只是覺得寂寞，是嗎？」

「你知道的太多了。」

「我們都認識多久了？」

Tongrak 轉過頭，臉上有著狡猾的笑容。

「既然你說我們認識很久了，那我比得上 Khom 嗎？」他摟住了 Connor 的腰，將頭靠在他肩上，眼睛瞥向貼緊在門邊的男孩，看了一眼面無表情的好友。

這傢伙實在是太無趣了，怎麼能無趣到這樣的地步？！

「我不會和你比的，因為我比你晚認識 Connor，而且我知道你是他最重要的朋友。」Khom 語氣嚴肅，卻招來 Tongrak 的笑意。

這孩子對事情是如此認真，怎能讓人不疼愛呢？

不管先來後到，Connor 就真的只是他的朋友。

「你問過這傢伙的想法了嗎？你知道他拋棄我幾次了嗎？你知道他掛我幾次電話了嗎？甚至還讓我追來了這裡。」Tongrak 捏了捏他的臉頰，「但我寧願擁有像 Khom 這樣的對象。」

「Tongrak。」Connor 的碧眼浮現明顯的陰沉。

「幹嘛？我不是想吃掉你的小男友，只是想知道還有沒有其他像 Khom 這樣的人，能不能介紹我一個？但我喜歡

明白事理的，不想認識那種靠父母生活的類型。」他邊說邊拉了拉 Khom 的臉頰。

也許是時候該補充點膠原蛋白了，今年三十歲的他，皮膚狀況真是比不上眼前男孩的青春洋溢。

一思及此，Tongrak 眉頭輕皺，下意識地摸了摸自己的臉。

我的臉是不是下垂了？

「我的朋友嗎？」

Khom 不解地看向他，Tongrak 點點頭。

「是的，介紹個朋友給我認識。」他的手仍然在撫摸自己的臉頰，近距離見到 Khom 光滑的黝黑皮膚時，他決定明天應該要預約一下肌膚調理療程。「是說，你們整理行李要去哪裡？」

他沒忘記剛才 Connor 提到行李的事，猜想他們可能和以往一樣打算前往海邊小住。

「去拜會我的父母。」

Tongrak 聞言明顯一愣，他轉身看向自己的好友，一臉不解。

而 Connor 則是笑得很開心，一字一句地強調：

「聽清楚了，我要帶 Khom 去加拿大一個月。」

「一個月！」

「呵呵，不要孤單到死掉啊。」

Connor 的聲音裡飽含同情，他輕拍了 Tongrak 的頭，有如在安慰三歲小孩。

「要是你覺得寂寞的話，隨便勾勾手指就會有人靠上來的，哈哈哈！」

此時此刻，Tongrak 腦中只有一個想法……

什麼勾勾手指！是把人當成狗了嗎？這個混帳朋友！

正午的豔陽照射在波光粼粼的藍色水面上，微風送來海洋的氣息，海浪像搖籃曲般拍打著船舷，一走出去就能看到一望無際的白色沙灘。

對很多人來說，這裡應該稱得上天堂，但當中並不包含 Tongrak。

「這裡簡直是地獄！」

眼前一座橋延伸至蔚藍大海之中，一艘私人快艇停泊在橋的另一端，吸引了不少前來釣魚的當地人目光。如果是一般乘客的話，應該會從島上的碼頭下船，而這位乘客從私人快艇下來，那就表示：他是個有錢人。

那個不在意他人視線的有錢人摘下了臉上的名牌墨鏡，露出美麗的臉龐，要是仔細聽的話，甚至還可以聽到對方忿忿不平的語氣。

「我早該知道是這樣！」

他早該知道事情會有這種發展，但最恨的是居然被好友算計了。

「我不在國內的時候你就休息一下，我來幫你安排好一

切，你的新作品不是想寫關於海洋的事嗎？」

Tongrak 是當紅暢銷作家，用不少筆名出過不少書，作品曾被改編成戲劇，也被翻成許多外語版本。這次他將以美麗的大海為背景開啟新的故事，一開始他覺得有些不安，因為自己很倚靠的重要朋友準備出國一個月不在身邊，所以當朋友在他心煩意亂時提出建議，他除了接受和相信對方，也沒有其他辦法。

只是又有誰能知道，這趟旅程得花上一個小時的飛機和兩個小時的船程，船搖到自己都快暈了才能抵達目的地。

他已經三十歲了！不像 Connor 只有二十出頭，還是可以為了看白鯊就跑去浮潛的年紀！

Tongrak 熬夜後在隔天下午醒來，沒有咖啡因就無法有精神，酒精又是他的一種嗜好，所以如今他睡眠不足又有些宿醉，再加上熱得要死的天氣……還有……到底是誰會來接他？

他掃視了周圍，發現沒人認識他。

天知道他現在只想洗個澡然後上床睡覺！

一陣機車引擎聲由遠而近，吸引了他的注意。

他抬頭看向橋的方向，上頭有一輛機車正騎過來。就在 Tongrak 認為這不會是來接他的人那一刻，機車停在了他面前。

「請問是 Rak 先生嗎？」

被點名的 Tongrak 輕皺眉頭，面露懷疑地瞇細了雙眼。

除了聽不太懂的南方口音，眼前的男人一站起身，也

讓人立刻感受到對方的高壯。

男人身材精實，頭髮有些凌亂，破爛的褲子再加上一身舊衣服的模樣，讓 Tongrak 以為自己聽錯了。

「你……是來接我的嗎？」

男人點點頭，讓 Tongrak 下意識地看向機車。

「你瘋了嗎？我要怎麼把行李放到你車上？」

Tongrak 忍不住開口質疑，指著自己兩個價值近十萬泰銖的昂貴行李箱，又將目光轉向那輛機車。

男人低頭思考了一會，接著示意 Tongrak 等一下。

只見男人走向一個正在釣魚的大叔，拍了拍他的肩膀，低頭像是跟對方說了些什麼，還一邊指向 Tongrak。

Tongrak 的直覺告訴自己，接下來不會有好事。肯定不會有。他當下只想立刻跳上船離開這裡回曼谷去。

正當他決定做些什麼時，高大男人帶著笑意朝他走了回來。

「不用擔心，我已經搞定了。」他將手放在了拉到機車旁的拖車上。

不僅如此，男人臉上還有燦爛的笑容和整齊的大白牙……讓 Tongrak 忍不住咬牙切齒。

Connor……等你回泰國就死定了！

Episode 1

島上的寶藏

陽光照射在閃亮的水面上，發出了耀眼的光芒，涼爽的海風將海洋的氣息吹拂而來，島嶼四周圍環繞著森林的香氣，讓想要遠離城市喧囂的人皆露出一抹笑意。

是的，想要遠離城市喧囂的人，一定會很喜歡吧。

但好像並不包括那個擁有美麗臉孔的男人。

那個美麗的男人此時跟著自己的行李箱坐在機車旁的拖車上，中古機車沿著島上主要幹道行駛，幹道兩旁種植了鬱鬱蔥蔥的大樹。幾天前經歷過一場暴雨，因此今天的氣溫比以往都還要涼快，但並不意味陽光就不強烈，炎熱的天氣讓 Tongrak 忍不住開始懷疑起人生。

他到底來這裡幹嘛？這島上只有森林、森林、森林！

這該死的多麼美麗！那可恨的朋友安排了這一切！

說真的，當 Tongrak 看到面前的男人指著這輛帶了拖車的中古機車時，本該連理都不理直接轉身上船回家。然而就在他回頭時，Connor 安排的那艘私人快艇已經掉頭離開！而他不管怎麼張望都只能看到機車，沒有其他交通工具，導致他呆愣在原地不知所措。

要是認為他會就此屈服在那輛會毀了形象的機車的話，那未免也太小看他了；Tongrak 選擇靠自己，他轉身一一詢問附近的村民，卻都得到同一個答案：

「你應該要跟他去的，度假村就在附近。」

「這附近只有機車。」

「你可以相信 Mut，他騎車很安全。」

居然還提到信任與否的問題？他只要一看到對方的

臉，就想一拳往那人肚子招呼過去。

　　就在他還垂死掙扎時，那個男人已經將行李放到車上，指向拖車的狹小座位，一副好像他駕駛皇家馬車一般。

　　「我不……」

　　Tongrak才開口想要拒絕，高大男人的走近便讓他不得不抬起頭，看向對方的臉。

　　Tongrak的身高有一百七十五公分，從來不認為自己個子矮，但那男人顯然高出自己不少，儘管他的頭髮被海風吹亂，仍不掩臉上那銳利的雙眼、漆黑的眉毛以及高挺的鼻子。

　　Tongrak上下打量了他一番，注意到他眼底的笑意時，忍不住抬起頭做出一副「想回家」的表情。

　　他不喜歡這個混帳！

　　「嘿！」

　　如同他直覺所料，那個眼尖的高個子一把抓住了自己，硬拉著他上了拖車。一切發生得那麼快，等Tongrak回過神來時，人已經靠在拖車邊緣，眼見男人發動了機車，只好趕快一手抓住拖車欄杆，另一手抱緊了自己的包包。

　　他不擔心行李箱，但包包裡有他的筆電，裡頭有他熬夜的成果。

　　「你還不下車嗎？」

　　南方口音伴隨著低沉的嗓音響起，語氣夾雜明顯的笑意，將Tongrak拉回了現實。不知道什麼時候，這輛車停

在了停車場中央，空氣中仍殘留刺鼻的機油味。

Tongrak 抱著自己的包包看向那個開口說話的男人，對方臉上有著掩不去的笑意。

該死的，他擺明就是在嘲笑人！

Tongrak 站起身，從口袋裡掏出了手機，打給那個把他送來這裡的壞蛋。

「我要回家了。」

當電話那端的人確認了來電者後，Tongrak 邁開步伐離開那個說話讓人難以理解的男人。

不是他想欺負誰，而是他壓根聽不懂對方在講什麼啊。

〔回家是什麼意思？你不是才剛到嗎？〕

「是的，但你知道我發生了什麼事嗎？你說在這裡會讓我有靈感寫小說，但該死的 Connor，我熬了一整夜沒睡又晃了兩小時的船來到這裡也就算了，你居然還派個混蛋來接我？他講的話我一個字也聽不懂！你知道他還讓我坐什麼嗎？拖車！機車旁的拖車！」

〔什麼？〕

該死的，他為什麼得浪費時問向這個該死的外國人解釋泰國的交通工具？

Tongrak 整個人相當煩躁，內心累積了不少怨氣準備要一吐為快。他知道 Connor 在這個島上找到了男朋友，但這和他有什麼關係？為什麼非得讓他來這裡不可？

「也許你也會在那裡遇到和我一樣的事。」

他根本不在乎這個！

「我不管，我要搭最早的船回去，如果沒有我就自己訂，把船家的電話給我……哦、喂！」

他的話還沒說完就被一隻大手搶走了手機，Tongrak皺緊眉頭看向搶走他電話的人。

男人的黑眸裡有著笑意，Tongrak甚至能感受到對方身體傳來的溫度。他們兩人會不會靠得太近了？

如果是正常狀況下，Tongrak可能會仔細打量眼前的男人，然後再決定是否要和對方上床。但他現在心情差到爆，只是抿緊了雙唇，露出無比惱怒的表情。

他大概不知道自己生氣的樣子有多迷人。

「把手機還給我！」

然而男人並沒有聽從命令，只是將手機放在耳邊，用悅耳的低沉嗓音開口說話，而他接下來的話讓Tongrak的下巴差點掉了。

「Connor先生你好，我是Mahasamut。」

這句話並沒有什麼特別之處，但對方卻是用著字正腔圓的發音開口，令Tongrak愣愣地眨了眨眼，回想起方才發生過的事。

在這之前，他一句都聽不懂男人的話，但現在他卻完全聽得懂了！

「你沒有口音了嗎？」

Tongrak忍不住驚呼質問，而男人只是揚起眉毛、一臉無辜，不懂為什麼他的反應會這麼激烈。

「沒問題，我會好好照顧他的……Tongrak先生，是

的，我大概猜到了。」

男人瞥了他一眼，嘴角勾起一抹弧度，一看就知道他們在說什麼關於 Tongrak 的事。

「他很頑固。」

什麼？這傢伙說他什麼？頑固？

Tongrak 咬住下唇，伸手想要搶回自己的手機，但男人動作快了一步，躲開了他的攻勢。

「我應付得來，Connor 先生不用擔心……是的，他看起來就像是小貓。」

誰是貓？！

該死的，Connor 到底有多滿意這個男人，才會笑到連自己都聽見了？

「別擔心，我會照顧 Tongrak 先生的，你就放心和 Khom 去玩吧。」

突然從他口中聽到了朋友另一半的名字，令 Tongrak 不得不忍下準備朝對方發火的情緒，懷疑起男人是否認識 Khom 或者聽說過這個名字。當男人結束通話後，Tongrak 也恢復了冷靜。

他迅速搶回自己的手機，嘴唇因為壓不下的怒氣而緊抿，眼中有著憤怒的光芒，接著轉身大步離開。

在正常情況下，他會留在原地與對方爭論，但現在他只想立刻擺脫眼前這該死的困境和這座該死的島。

他邊想邊加快了腳步，朝著度假村的方向走了過去。正當他盤算著要預訂最快一班離開這裡的船時，眼前的景

象卻讓他倏地停下了腳步。

　　往度假村的方向走去時，他看到了……人間天堂。

　　剛才人在碼頭所以沒有注意，再加上來度假村的路上只看到了森林，他沒想到這裡也會有一片汪洋大海。

　　清澈的海水再加上無邊無際的白色沙灘，萬里無雲的天空接連著碧藍色地平線，眼前的景象是如此奪目絕美，勝過所有一切，美過名家的畫作，還有手機裡所看到的照片。

　　Tongrak 站在原地不動，任由海風徐徐吹拂，讓浪聲洗去所有感官疲憊。腳步聲伴隨著低沉嗓音在他身後響起。

　　「Tongrak 先生，歡迎來到我們的島嶼。」

　　名字的主人轉過身，對上了那雙銳利的雙眼，男人的眼底則閃耀著光芒。

　　這場比賽，他輸了。

　　煩躁！

　　火大！

　　生氣！

　　若要問 Tongrak 現在是什麼感覺，他會毫不猶豫地這麼回答。

　　「為什麼要跟著他走？你明明不是那種會隨之起舞的人啊！」

　　Tongrak 忿忿地打開行李箱，發現自己的呼吸越來越急促，心跳加快，緊握雙拳，如果他能揍人一拳洩憤該有多好？但此時他無法這麼做，只能不斷深呼吸，告誡著自己。

　　要是那人無恥地來打擾自己，就要無情地趕走他！

　　「但那傢伙不會消失！」

　　他試圖讓自己保持冷靜，將襯衫紮進了褲子裡，抬手整理自己有些凌亂的黑髮，露出了那張美麗的臉龐和光滑的肌膚。

　　腦海中回想起剛才將行李搬進房間的時候——

　　一般來說，飯店工作人員會幫旅客將行李放進房間，然而從拿鑰匙開始到搬行李進房，全都是那個叫 Mahasamut 的男人做的！

　　那個 Connor 認識的混帳！他實在不知道 Connor 到底是怎麼認識這樣的人。

　　「Tongrak 先生，還有什麼需要我協助的嗎？」

　　「不。」

　　這個「不」字並不是指不需要協助或不用幫忙，而是他聽不懂對方在說什麼。

　　這也是 Tongrak 感到煩躁的原因之一。一開始他認為對方只會講方言，所以對於男人的種種行徑都還算能忍受，並不是他看不起方言，只是單純聽不懂，但後來聽到男人和 Connor 對話時，他立刻就意識到這傢伙是在整他。

　　「我聽不懂。」

　　Mahasamut 聽完他這麼說時，選擇用另一個方法解釋。

「Tong—rak—先生—你—有—需—要—協—助—的—
地—方—嗎？」

他這次放慢了速度，但依然操著 Tongrak 聽不懂的南
方口音，讓火大的 Tongrak 將男人推了出去，當面甩上門。

「哇，Tongrak 先生真殘忍，難怪人家說長得漂亮的
人，心腸都特別黑。」

男人不但沒有離開，還在門外大喊大叫，讓 Tongrak
極度想開門回嗆，但他知道這麼做只會讓對方得寸進尺，
於是選擇去打開自己的行李箱。

叩叩叩！

「走開！」門外的男人持續不停的敲門聲讓 Tongrak 忍
不住大喊。

「我只是想告訴你……如果你有什麼需要就打電話給
我，我的手機號碼留在床邊了。」

一開始 Tongrak 還不知道那是什麼意思，但當他走到
床邊、看到上頭的紙條時，立刻不爽地將寫了號碼的紙揉
成一團，生氣地扔向門口。

「真是讓人火大！」

Tongrak 越想就越生氣，只想狠狠掐住朋友的脖子，問
他為什麼要派個人來惹惱自己，但對方要一個月後才會回
到泰國，在這期間 Tongrak 都無法付諸行動。

真是個損友！Tongrak 做了個深呼吸，告訴自己不能
這麼輕易被別人影響，必須調整自己的心情，憤怒只會氣
壞自己的身體。

他看向行李箱，拿起幾件衣服走進了浴室，既然都已經來到這裡，那就好好享受吧。

當夜色降臨時，蔚藍色海洋轉成了深藍色，柔和的天光更加賞心悅目，一名美麗的男人走進了度假村酒吧，蜂蜜色的雙眼環視了四周，滿意地看著眼前的場景。

這間海濱酒吧和他在離開房間之前所看到的評論十分吻合，相當漂亮。

一開始他並不抱任何期待，只是想知道哪裡有酒吧，想在那裡喝一杯放鬆心情，從沒想過這間度假村能擁有他想要的一切。

酒吧有著階梯式的布置，每層階梯都寬到足以容納一張配有白色靠墊和彩色枕頭的木桌，桌上放了一盞漂亮的夜燈，營造出浪漫的氣氛；酒吧中間的大型泳池已經被不少穿著比基尼的外國旅客占據，但 Tongrak 並不在意，因為吸引他的是酒吧盡頭的陣陣海浪。

他沒料到海浪拍打岸邊的聲音竟會讓自己如此放鬆。

只要一閉上眼深呼吸，就能聞到在曼谷感受不到的清新氣味。

而 Tongrak 光是站在那裡，就足以吸引眾人的目光。

他是個俊秀的男人，或許有些人會將他的好看定義為美麗。他有白皙的皮膚，明亮的大眼，被不少人認為長相

迷人，而越是靠近他，就越會被他那蜜色的瞳孔所吸引，甚至讚嘆他的品味穿著與外貌相得益彰。

Tongrak 穿著一件黑色開衩襯衫，露出胸前光滑細膩的肌膚，再搭配上黑色長褲，強調出纖細的腰身和修長的雙腿；脖子上戴著兩條項鍊，一條緊貼著頸邊，另一條則垂至胸口，耳上有一枚小型鑽石耳環，整體打扮相當時尚精緻。

他的一舉一動都使旁人的視線緊緊跟隨。

Tongrak 清楚知道，一個穿著合身打扮的男人走進酒吧，比那些在泳池邊的比基尼女孩更能奪得他人的注意力。

黑色衣服將他的皮膚襯托得更雪白，當他感受到眾人停在自己身上的注視時，嘴角勾起一抹好看的弧度，一掃先前的陰鬱，心情好了不少。

修長的身影走向了酒吧的最高點，選了一張能看到酒吧最佳景觀的桌子，因為能看到酒吧全貌，代表酒吧的人也都看得到他。

「請給我一杯馬丁尼。」他點了一杯飲料和兩份小吃。

Tongrak 注意到距離自己不遠處有幾位遊客，不確定對方是韓國人還是日本人，而他們正直勾勾地朝自己看了過來，另一邊也有個外國人緊盯著他，雖然自己向來喜歡亞洲人，但偶爾換換口味也不錯。

不管是誰都能勾起他興趣，不像那個……

「Mahasamut！」

一想到名字的主人，Tongrak 就忍不住低聲咒罵，原本

上揚的嘴角垂了下來，男人那帶著笑意的雙眼讓他回憶起來就全身竄火。

「你是 Mut 哥的客人嗎？」

此時一道男聲傳來，Tongrak 收回了心思，看向那個朝著自己微笑的男孩。

「這是您的飲料。」男孩將酒杯推到他面前，但沒有繞回去工作崗位，反而停在旁邊，雙眼閃閃發光。

「請問有什麼事嗎？」

「您剛才喊的是 Mut 哥的名字嗎？」

「是又怎樣？」他甚至沒注意到自己居然喊出了對方的名字。

「這個名字取得真好，對吧？」

雖然他很生氣，但身為一個作家，他不否認這名字確實很引人注意。

「哦，或許是吧。」Tongrak 冷淡地回應，舉起酒杯喝了一口，但他的答案卻讓服務生皺眉。

「就這個反應？你知道嗎，要是別的客人，都會想多知道關於 Mut 哥的事。」

「誰想知道？」他忍不住反駁。

男孩有些困惑地抓了抓頭。

「很多人都想知道啊，因為他是島上的名人，大家都說他長得很英俊，最近還惹來了不少日本女生的追捧。Mut 哥真的很帥氣，不知道你喜不喜歡皮膚黝黑的男人？噢，不只是女孩子……」男孩湊近 Tongrak 小聲地說，「Mut 哥

對男人也很溫柔的。」

這些話讓 Tongrak 緊皺起眉頭，他並不想知道這件事，誰對誰有興趣都不關自己的事，但眼前的男孩似乎還不打算停下來，又指向另一邊自己注意到的黑髮外國人。

「那個人之所以會留下來，就是因為 Mut 哥。」

Tongrak 聞言明顯一愣，有些僵硬地瞥向男孩。

他差點吃掉了喜歡那傢伙的男人？

光想到這裡，他的情緒又 down 到了谷底。

「你為什麼要告訴我這些？」Tongrak 不悅地開口，他對這個島上的名人沒有興趣，也不想知道這些事。

「以防萬一你對 Mut 哥有興趣囉。」男孩露出了笑容。

「誰會有！」Tongrak 的聲音提高了不少。

誰對那個該死的男人有興趣？他不是沒有注意到男人隱藏在土味襯衫下的健壯胸膛，更不用說那操著一口南方方言的低沉嗓音，要是他在床上不用方言講些色情的話，會有多誘人？

但自己絕對不會爬上那個讓他坐機車拖車的男人的床。

Tongrak 的不滿讓男孩露出一抹乾笑，忍不住小聲咕噥著自己似乎看錯了人，見對方下了逐客令，他也轉身準備離開。

「等一下。」Tongrak 喚住了他。

「你有興趣了嗎？」

「沒有。」

男孩啞口無言。

「你為什麼會認為我對 Mut 有興趣？」

他很好奇自己的哪個舉動讓對方覺得他對那個男人有興趣？他想弄清楚並且以後絕對不再犯。

男孩聞言笑得合不攏嘴，搖了搖頭。

「我不知道你是不是真的感興趣，只是……」

「只是？」

「我只是想告訴大家，Mut 哥是這座島上的寶藏。」

語畢，男孩便返回了自己的工作崗位，讓 Tongrak 呆坐在原地，思考著那句奇怪的話。

那傢伙是島上的寶藏？

那個瘋狂敲他門的傢伙？是寶藏？

Tongrak 咬緊下唇，內心怒火燃燒。

他會記住這點的，絕對不會把島上的寶藏帶回去，永遠都不會！

Tongrak 仰頭一口飲盡了杯中物，今晚想找人一夜情的心情都沒了，要是這個島上最棒的就是那個男人，那麼剩下的也不值得他花時間了。

Episode 2

我正在出售，
你有興趣嗎？

「Mut 哥，你好。」

「你好，今天的客人多嗎？」

「不多。」

「欸 Mut 哥，有客人詢問潛水課程，你要接嗎？」

「我接下來兩週都排不出時間，已經告訴過 Ann 了。」

「Mut 哥，昨天又有客人提起你了。」

「哈哈，太受歡迎了沒辦法。」

雖然現在算是島上的淡季，但對於全年都有遊客入住的知名度假村來說，依然相當忙碌。當島上的名人現身時，忙碌就會暫時停止，伴隨而來的是此起彼落熱情的打招呼，即使 Mahasamut 不是度假村的員工，也因為經常出現在這裡，讓所有人都習慣了他的存在。

他之所以會頻繁出現，主要是帶客人去潛水，而大多數留在這裡工作的人都是本地人，在他小時候就認識他了。

因此 Mahasamut 會認識很多人並不奇怪，像他這樣個性的人相當受歡迎，甚至是別人口中大力稱讚的對象；為了招攬生意，他會將自己的宣傳手冊放在度假村裡，藉此厚臉皮地打起廣告。

男人看著手中的鑰匙，感覺心情雀躍了不少。

他並不是偷拐搶騙，也不是用任何詭計得到，這是 Tongrak 親口交給他的。

昨天他使用鑰匙打開房門後，將寫了電話的紙條放在床櫃上，原本打算將剩下的鑰匙交給 Tongrak，但對方卻生氣地將他往門外推，一點都不想和自己對話。Mahasamut

自認是個紳士，於是便摸摸鼻子離開那裡，而原本要交給對方的鑰匙就這麼收進了口袋裡。

這可不是偷，是 Tongrak 來不及收下的。

男人露出一抹笑意，腦海中浮現一星期前發生的事。

〔我想讓你照顧我朋友兩星期。〕

當 Connor Warrington 或者該稱他為弟夫的人打電話來時，Mahasamut 不由得好奇自己是要去照顧一隻寵物嗎？因為對方的語氣實在是太隨意了，像是交待什麼簡單輕鬆的事而已。

〔是我一個朋友，很頑固也很任性，但很怕寂寞，我要出國一個月，擔心他沒人照顧會枯萎而死。〕

「到底是人還是狗？」他忍不住打趣地問。

他聽到手機另一端傳來 Connor 的笑聲，而 Khom 試圖要他安靜下來，於是對方接著開口：

〔或許該說是貓。〕

〔如果 Tongrak 是一種動物，那應該是老虎。〕

〔哦，寶貝，那傢伙不是老虎，他是一隻小貓，不要只看他的表面。〕

電話那端的情侶爭執讓 Mahasamut 對那個叫 Tongrak 的人越來越感興趣。

「那他到底是貓還是老虎呢？」

〔你到時就知道了。〕

「Connor 先生說的好像要我收養他一樣。」

Mahasamut 露出了笑意，他知道 Connor 明白自己的意思。

〔我到時把錢轉給你。〕

這才是正確的，收錢好辦事，向來是 Mahasamut 的座右銘。

「有什麼需要注意的嗎？」

〔小心別讓他死掉了，他真的很怕孤單。〕

電話那端的人再度強調對方有多怕孤單，接著又補充：〔還有小心不要被抓傷。〕

Mahasamut 嘴角勾起一抹好看的弧度。

「我不會輕易被抓傷的。」

Connor 大笑出聲，不知道是因為擺脫了一個負擔，或是聯想到其他地方，但也因為如此，Mahasamut 更加期待能見到 Connor 口中的那隻貓。

既然這麼害怕寂寞，那他得好好照顧對方才行了。

「哈哈。」

一想到那段對話，Mahasamut 就忍不住輕笑出聲，他拿出手機點開 Connor 發來的照片。

「真的是隻貓。」低沉的嗓音帶點忍俊不住的笑意。

Connor 發來的第一張照片是穿著 T 恤、長褲和西裝外套的 Tongrak，白皙的臉龐有著被逼迫的表情，雙眸閃爍憤怒精光，儘管他的嘴角勉強勾起一點笑意。

第二張讓 Mahasamut 吹了一聲口哨。照片中的男人一身紅色襯衫及高腰褲，脖子上戴著皮製項鍊，站在豪華酒吧裡被一小群人包圍，美麗的臉龐看起來很迷人，眼底閃閃發亮。

最後一張照片完全吸引了 Mahasamut 的目光。

那張照片裡的 Tongrak 穿了一件超大號的 T 恤加上寬鬆的短褲，露出一雙白嫩的大腿，他蜷縮在沙發上的樣子就如同 Connor 形容的……傲慢的貓。

他看到這張照片時忍不住輕笑出聲，沒想到一個人居然可以擁有這麼多樣貌。Mahasamut 對 Tongrak 的興趣越來越濃厚，所以當他們兩人第一次見面時，便忍不住捉弄了 Tongrak，也立刻就看到了貓咪炸毛的樣子。

當 Tongrak 露出傲慢神情時，他好想問問對方下巴抬那麼高會不會痠？

他自認是個標準的鄉下人，直率熱情、脾氣好、很有幽默感，時常將笑容掛在嘴角，而那個美麗的男人看來一點也不真誠，還老是扳著一張臉，讓 Mahasamut 好奇起對方如果卸下心防，會是什麼樣子？

或許會比想像中還要有趣。

他為自己的這兩週設定了新目標：讓 Tongrak 卸下高傲的偽裝。人生苦短，何不即時行樂？

若要問自己是否擔心會嚇跑對方，答案是……不會。

為什麼要擔心？是 Connor 要自己照顧 Tongrak 的，不管怎麼樣，他都會達成任務。

「讓我們好好照顧貓兒吧。」

該是打開籠子的時間了。

對於那些日夜顛倒的作家來說，早上七點的陽光便如同敵人，Tongrak 拉上了窗簾，讓房間陷入一片黑暗，並將房裡的冷氣溫度調低，而他纖細的身軀則蜷縮在厚重的被子之下。

本來應該就這樣一路睡到十一點的，但是……

門鎖旁的黑色螢幕面板閃過了綠光，厚重的門扉靜悄悄地被打開。

入侵者以極為緩慢的步伐走入，銳利的雙眼習慣了黑暗，接著低頭看了眼自己的手錶。

房間的住客還沒醒。

Mahasamut 露出一抹笑意，進入了臥室，看著躺在床上的圓形突起，臉上的笑容越擴越大。

「早安，Rak 先生。」

他一把拉開了窗簾，讓太陽直接照射在熟睡中的白皙臉蛋上，躺在床上的人眉頭輕皺，儘管還沒完全清醒，但表情卻有明顯的不悅，發出了煩躁的聲音後拉起被子翻了

個身。

Tongrak 將被子拉到頭上的樣子看起來太有趣了。

Mahasamut 忍住了笑聲，接著走到床邊。

「起床啦 Rak 先生，今天天氣很好，適合出門去玩。」

「……吧。」

男人聽到被子裡傳來了聲音，但聽不清對方的話，於是又再度靠近了點。

「什麼？我聽不清楚。」

Mahasamut 放大了音量，等著對方的回應。

「去死吧！」

不一會，原本拉高被子的 Tongrak 用力地坐起身，表情因為憤怒而有些扭曲，雙眼通紅，頭髮凌亂不堪，身上的衣服皺巴巴的，看著男人的眼中有殺意。

而他想殺死的人，就是那個打擾他睡覺的 Mahasamut。

「你好。」然而對方只是朝他一笑。

「你他媽的是在說什麼？你是怎麼進來的？滾出我的房間！」Tongrak 怒不可遏地大吼，隨手抄起枕頭往那個臉上帶笑的男人扔了過去。

「我有你的房間鑰匙。」

在看到 Mahasamut 手上的房卡鑰匙時，Tongrak 瞪大了眼。

「為什麼你會有我的鑰匙？」

「是 Rak 先生自己交給我的。」

「你什麼時候拿的？」雖然他聽不太懂對方說的話，但

他想知道這件事。

Mahasamut 眼睛發亮，用清楚的聲音回道：

「你把我趕出房間時，看起來不想要，所以我把它留下來了。」

「瘋子！」

「稱別人瘋子代表你自己也是。」

該死的，他一句話都聽不懂！

但這回答卻打破了 Tongrak 的耐心，他低咒了幾聲，試圖搶走 Mahasamut 手中的鑰匙。

「啊！」

但對方已經做好了準備，因此在 Tongrak 被自己的被子絆倒時，男人往後退了幾步，看著那個臉朝下倒在柔軟大床上的人，忍住了差點爆出口的笑聲。

「……」

Mahasamut 覺得自己快要因為憋笑而內傷。

「……」

臉朝下的人渾身都在顫抖。

「該死的被子！」

要是他沒聽錯的話，那個美麗的男人此時應該……很尷尬。

Tongrak 試圖將被子踢開，紅透的耳根子早就清楚透露內心的情緒，但他並不打算就此妥協。他用力將被子推離，在成功掙脫出自己創造的被子蠶蛹時早已氣喘吁吁，而他一點也沒注意到自己此時有多狼狽。

「哦，這是皮膚還是絲綢啊？」

Tongrak 眉頭輕皺，茫然地看著面前的男人，接著再低頭看自己。

該死的，他忘記自己睡覺時習慣只穿一件上衣。

眼下這位才華洋溢的作家身上只有一件沒有扣好的睡衣，釦子可能是剛才掙脫被子時掉的，寬鬆的睡衣袒露出光滑的肌膚，質地有如柔軟的棉花，右邊乳頭上有一顆小痣，粉嫩的尖端因為感到有些寒冷而挺立，平滑的腹部以及因重力作用而下垂的重要部位盡現，還有沒什麼體毛的白皙雙腿，再加上有些凌亂的頭髮、羞紅的臉頰、顫抖的雙眼，讓他看起來⋯⋯萬分誘人。

要是被別人看到，早就撲上去和他大戰三百回合了。

「哼。」

如果這件事發生在別人身上，應該會羞愧到無地自容，但和剛才臉朝下摔在床上的恥辱相比，Tongrak 腦中只閃過一個想法——

他要報仇！

你有興趣是嗎？行！

「你想看嗎？」

Tongrak 緩緩坐直了身體，故意伸長雙腿，睡衣的下襬只覆蓋住了大腿根，他正好又是剛醒來的狀態，聲音慵懶且性感。他用手撥開滑落到臉上的頭髮，睡衣的領口在胸口邊緣挑逗似地飄動著。

儘管他對眼前這個瘋子很惱火，但並不是那種吝於分

享自傲身材的人，要是能因此讓那個瘋子對自己產生慾望就更完美了。只要對方一採取行動，Tongrak 就會立刻抓起床頭的電話直接打去櫃台客訴。

若對方不是個有自制力的人，Tongrak 就有信心不會輸給任何人。

他看了床頭的手機一眼，隨時準備將這個打擾他睡眠的男人送進監獄。

「你想讓我欣賞嗎？嗯，我會好好欣賞的。」

啊？

Tongrak 有些震驚地看著那個靠近自己的男人，對方蹲了下來，還搓了搓下巴。

「皮膚真的很白，白到還以為是漂過的。」

男人沒有撲向他，也沒有將他壓倒在床上，只是雙眼犀利地仔細觀察。

「一根毛都沒有，你是做了雷射除毛嗎？要是再長出來會不會癢癢的？」

他抓起了 Tongrak 的手臂，露出那光滑的腋下，讓 Tongrak 嚇了一跳。

「看起來就像削了皮的梨子。」

什麼？他說什麼梨子？

「你的臉這麼紅，是不是感冒了？要不要吃點藥啊？」

Tongrak 生氣地抓起附近的枕頭，往 Mahasamut 臉上用力一丟，泛紅的肌膚顯示他的憤怒和害羞。他雙拳緊握、渾身發抖，只想狠狠地賞對方一拳。

活了三十年，第一次遇到這樣的人！

Tongrak 可是個會讓男人求著要和自己上床的人！他是個活在別人注目之下並對自己外表充滿信心的人，不管是誰見到他都會興奮！然而現在？

真是有夠丟臉！他自傲的外表居然沒有任何作用！

他從來沒有像現在這樣被打擊過，當他還在思考要如何擺脫眼前困境時，男人已接過枕頭，半開玩笑地開口：

「Tongrak 先生，您在生什麼氣？」

Mahasamut 靠近他，兩人四目相交，Tongrak 突然心跳如擂鼓。那隻大手抓住了自己的手腕，指尖壓入了柔軟的肌膚，這是 Tongrak 熟悉的觸感。

他的眼裡浮現挑釁，內心暗自竊喜。

看吧，有誰拒絕得了我？

然而男人只是露出了一抹笑意。

「我覺得你太瘦了，我幫你洗個澡，然後帶你去吃點好吃的吧。」

幫他洗澡？

Tongrak 自言自語地重複了一遍，確定自己沒有聽錯，就算南方口音很難理解，但不知道為什麼他卻立刻理解了這句話的意思。對方看過來的眼神就像在看個寵物那般！自己什麼時候變成了他的寵物？

「走吧，去洗澡吧。」

當他被牽著走向浴室時，Tongrak 緊抿雙唇直到唇色泛白，接著抄起離他最近的枕頭，用力往男人臉上招呼過

去，然後尷尬地拉好了自己的睡衣，快步往浴室奔去。

「能滾多遠就滾多遠！」

砰然關上的浴室門無法阻隔對方的笑聲。

「哈哈，你確定不讓我幫你洗澡嗎？」

「閉嘴！！」

Tongrak 被氣得全身不停發抖，他這輩子從來沒看過這樣的人！

憤怒讓他呼吸急促，胸板隨之起伏，他氣到想抓起一籃衣服往那男人臉上倒扣！看著鏡子裡自己的倒影，那一臉狼狽的樣子更讓他的怒火越燒越旺。

就算對方想要，自己也絕對不會接受！

「哪怕世界上只剩他一個，我也絕不會選他！」

Tongrak 對自己發誓，就算再怎麼飢渴都不會拐那個男人上床，永遠都不會。

要是 Mahasamut 聽到這句話，應該會很狡猾地說：「就算你不讓我上你的床，但我很擅長逗貓，要試試嗎？」

若 Tongrak 聽到這些話，肯定會氣到中風。

「不要管我。」

「不行，我已經收了錢了。」

「我聽不懂你在講什麼，我、聽、不、懂！」

他想擺脫這個傢伙，但首先要能和他溝通。

　　Tongrak 從來沒想過語言會如此困難。或許是因為他沒什麼南方的朋友，就連 Khom 也是講一般常用的語言，這是他第一次聽到正統、大量的南方口音。對方有濃厚的口音也就算了，語速還特別快，讓他壓根就不懂這人到底是想說什麼。

　　若是這人不會講正統的語言也就算了，但關鍵是他會，卻絲毫不打算修正，即使自己一再向他表示聽不懂，他也不改。

　　「有什麼難的？我們去吃飯吧。」

　　Tongrak 想要發脾氣想要大吼大叫，但經過早上的事件後，他認為這一切都是白費工夫。他花了很長一段時間才走出浴室，強迫自己裝作一切都沒發生過，壓抑內心的不滿，不斷告訴自己要冷靜下來，總有一天會成功趕走那傢伙的。

　　「我不吃稀飯。」

　　當他們在餐廳坐定時，Tongrak 雙手環胸，抬起頭不屑地開口。

　　你很想照顧我是嗎？那就來試試你有沒有那個本事吧！

　　準備將一碗稀飯放在他面前的 Mahasamut 停下了動作，什麼也沒表示，只留了一個碗在 Tongrak 面前，接著轉身離開。

　　「我不吃香腸煎蛋。」

　　Mahasamut 還沒來得及把盤子擺好，Tongrak 就又開口，將臉轉向另一邊。

「我早上不吃飯，胃會不舒服。」

當他看到面前擺了一盤炒菜加打拋雞肉時，Tongrak 露出一記淺笑，眼底閃爍著挑釁的光芒。

他要讓對方嚐嚐自己的脾氣。

挑剔、苛求、任性，他所能做的遠遠超過這些。

「那沙拉怎麼樣？」

Tongrak 看了他一眼，拿起叉子戳了一顆小蕃茄送進嘴裡。

「你喜歡⋯⋯」

「我吃飽了。」

Tongrak 甚至不等男人回話，便將盤子推回桌子中間，甚至不在意面前還有稀飯、香腸煎蛋和完全沒動過的打拋雞肉飯，站起身笑笑地開口：

「既然你拿了錢要來照顧我，那就把剩下的都吃完吧。」

原本以為男人會生氣，就算有點動火也行，沒想到他居然⋯⋯

「唉呀 Rak 先生，你真善良，你怎麼知道我正好餓了？」

不知道是不是因為相處過一天，對方已經抓到自己的個性，Tongrak 眉頭皺得死緊，狠瞪著面前這個接過飯碗後嘴裡還誇個不停的男人。

「真是既美麗又善良，不僅皮膚白皙，連心靈也很純淨，能照顧到你實在是太幸運了⋯⋯唔⋯⋯」

「你講話能小聲一點嗎？」

他不管對方在說些什麼，只知道聲音已大到吸引了餐

廳裡其他人的目光，Tongrak 聽不懂男人的話，但不代表其他人聽不懂。他賞了對方一記大白眼，男人卻完全沒有消停的打算，Tongrak 只能用手摀住男人的嘴巴強迫他安靜。

「我要付你多少錢，你才會放過我？」Tongrak 有些不悅地開口問。

就在這個時候，Tongrak 感受到手心傳來了柔軟的擠壓而明顯一愣，男人的大掌抓住了他的纖細手腕，鬆開了他摀在男人嘴上的手。Tongrak 的蜜色雙眼對上 Mahasamut 深邃的黑眸。

「我的價格不便宜。」他邊說邊靠近了 Tongrak，低沉的嗓音襲來。

「你真是自我感覺太好！」

Tongrak 渾身起了雞皮疙瘩，抽回自己的手，別開了視線，不知道自己為什麼心跳飛快，但他清楚知道這也沒有什麼，只是短暫的近距離接觸讓他許久未得到釋放的身體在此時有了反應。

男人手掌的溫度仍然留在自己的手腕上。

但 Tongrak 一點也不盲目。

或許第一次見面時，Mahasamut 給他留下了很差的印象，但那是因為自己心情不好，他並不否認這男人的外表確實是島上最突出的，不論是魁梧的身材，還是那黝黑的皮膚、濃眉下分明的五官，看起來並不像自己平常在健身房會遇到的男人，他應該是因為工作的關係才練出了一身肌肉，有種原始又狂野的感覺。

在 Tongrak 身邊找不到像這樣的人。

他剛才說的那句話，是指只要自己肯付錢，他也願意被買下是嗎？

兩人四目相接，一人眼底挑釁，另一人則猶豫不決。

「給我你的電話。」

Tongrak 突然改變了話題，讓 Mahasamut 明顯一愣。他沒想過對方會問這個問題，那張寫了他電話號碼的字條在昨天已經被丟了。

「太可惜了，我昨天把號碼給了你，但 Tongrak 先生卻隨手一扔⋯⋯」

叮！

Mahasamut 的手機突然發出聲響，一則提示跳了出來，他還沒來得及點開，眼前的男人又再度開口：

「五千夠嗎？」

「什麼？」

「改變你對我說話的方式。」

耳邊傳來的是 Tongrak 悅耳的嗓音，他剛才透過電話轉帳的方式將錢轉入了 Mahasamut 的帳戶裡。

「七千夠不夠？」

叮！

Mahasamut 的帳戶裡又增加了兩千。

「或者⋯⋯一萬？」

叮！

他的帳戶又再度增加了三千元，Tongrak 沒等到對方的

答案，臉上還是帶著甜美的笑意，指尖又再度輸入了一個數字。

「還是要一萬五？」

既然 Mahasamut 說他價格不便宜，那 Tongrak 倒是要看看多少錢能讓他點頭。

Tongrak 臉上仍有掩不去的譏諷，而 Mahasamut 只是動也不動，一臉平靜。他就想知道對方在受到侮辱時，會有什麼樣的反應。

「怎麼，還不夠嗎？」

當手機被一隻大掌擋住了螢幕時，Tongrak 抬頭看向男人，語氣愉悅，似乎正準備享受對方受辱的表情。

然而他卻看到男人臉上的……微笑。

「五千就可以了。」Mahasamut 用溫柔的嗓音開口。

對方不再使用他聽不懂的南方口音，而是用了尋常的語言和他對話。

Tongrak 看著滿臉笑容的男人，不解地問：

「你不覺得受到侮辱嗎？」

「為什麼？」Mahasamut 反問，看著自己手機的臉上有大大的笑容，「謝謝你的光臨！你一定會喜歡我的服務的，從現在開始，請多指教！」

看著他的笑容，Tongrak 內心升起了不安的情緒。

這傢伙絕對是個瘋子！

Episode 3

就算世上只剩你一個，
我也不會買！

「你真的不買下我嗎？」

「……」

「再付五千就可以買下我了。」

「……」

「被我服務過的客人都很滿意。」

「……」

Tongrak 停下了腳步，看著那個跟在自己身後的男人，眼神不悅。

為什麼這男人如此厚顏無恥？

他承認自己是逃跑了。因為他們剛才討論到一半，他表示希望對方不要就此跟著自己時，Mahasamut 居然回他……

「我做不到，因為我已經收了熟客 Connor 先生的錢了，再怎麼說都要先照顧熟客，對吧？」

他像是在陳述一個簡單的事實，卻讓 Tongrak 忍不住站起身，不想再和他浪費時間，如果他不走，那就換自己離開。

但那個本該繼續吃飯的男人卻跟了上來，使他們在沙灘上演你追我跑的戲碼，男人可能覺得自己還不夠生氣，持續地推銷自己。

「當一個人想賣東西時，必須要有人想買。」

「是的。」

「但這裡沒有想買的人，你可以不用賣。」

Tongrak 語氣冷漠，看著面前的男人，此時此刻怨恨起

自己居然比對方還要矮，莫名矮人一截是長這麼大從來沒有過的感覺，就算是 Connor，他也不曾退縮過，為什麼現在眼前的瘋子對自己露出笑容時，他的情緒卻莫名受到影響？

「你不累嗎？」Mahasamut 轉換了話題。

Tongrak 眉頭輕皺，不懂對方是想表達什麼？

Mahasamut 見狀大笑起來，再加上他那好聽的嗓音，高大的身影又再靠近了自己，Tongrak 鼻間已能聞到屬於對方的清新海水味道，很符合他的名字 *。

「我的意思是，像你這樣總是仰起頭，不累嗎？」

「！」

當 Mahasamut 伸出食指戳了他的臉頰時，Tongrak 明顯一僵，三十歲的他已經很久沒有被當小孩子般對待。

「不關你的事。」

「哦，我只是覺得很擔心，自從見到你以來，你臉上就只有兩種表情。」Mahasamut 扳著手指算了一下，「傲慢和害羞。」

「誰害羞！」Tongak 想都沒想就反駁。

「哦，還有第三種……生氣的樣子。小心臉上會有皺紋喔。」

「不關你的事。」

Tongrak 雖然嘴巴這麼說，仍用手摸了摸自己的臉。

---

* Mahasamut มหาสมุทร 是「海洋」的意思。

「誰說不關我的事？Tongrkak 先生的事就是我的事。我必須要照顧你的身體，照顧你的情緒；我擔心你的脖子會痠，這也是很正常的事，卻被你過度解讀。」男人故意嘆了口氣，彷彿受了委屈。

他的行為惹怒了 Tongrak，為什麼明明是在講正常的語言，自己還是聽不懂他在說什麼？

「啊，OKOK，我會用更簡單的方式解釋給你聽。」

「我不聽！」他不想被當成小朋友無理取鬧，卻克制不了脾氣。

「唉，真是任性。」Mahasamut 又嘆了口氣，眼神看起來就像在看三歲小孩，不等 Tongrak 反駁，他又接下去說，「你是來這裡工作的，對吧？」

「那又怎樣？」

「我會帶你去你想去的地方，不管是水上、陸地上或是島上的任何一處，這座島我很熟，你可以放心。」

「不用。」

「我剛才說過 Connor 先生僱我來照顧你，我已經收了他的錢，收了錢就要好好幹活。如果你不同意的話，我只能把錢還給 Connor 先生，但我已經昭告天下接下來兩星期都有工作，島上的遊客都已經安排了其他導遊，你讓我怎麼度過接下來的兩星期呢？我不工作就沒飯吃了。」

Tongrak 聞言冷靜了一些，但他不想同情這個瘋子。

「更重要的是，你會騎車嗎？」

「……」

Tongrak 的表情已經回答了所有問題。

Mahasamut 可憐兮兮地看著他。

「你知道這裡無法租車，只能騎機車嗎？看來你沒有我，哪兒也去不了啊。」

他能打他的臉嗎？

Tongrak 握緊雙拳，試著想找出反駁的言論，但最終還是閉上了嘴。

男人又再度往前走了一步，直到兩人的臉靠得很近，漆黑如深夜之海的眼底閃過笑意，線條銳利的臉孔低了下來，用著醇厚的嗓音開口：

「你知道的，我能做的遠比這些還要多。」

該死的，為什麼心狂跳個不停？

他已經好幾天沒釋放慾望了。

看著面前男人的臉孔，接著又對上了他的視線，一看到他的眼神，Tongrak 就知道他想表達什麼。

他想說的應該和自己想的一樣。

雖然還有些猶豫，但身體卻比理智先行動，Tongrak 舉起手往他的胸膛伸了過去。

「哦，你決定要買下我了，對吧？」

Mahasamut 湊近他耳邊笑笑地說。

Tongrak 的雙頰聚滿了熱氣，這並不是害羞也不是動搖，而是知道自己在無意之間心軟了。Mahasamut 的眼神看起來是如此晶亮，講話語氣像是猜到自己的心已隨波逐流，令 Tongrak 再度嘗到挫敗的滋味。

這個認知讓 Tongrak 用力推了他一把。

「就算這世上只剩你一個，我也絕對不會買！」

語畢他轉身就離開。他想遠離這個男人，但耳邊聽到了對方的笑聲，又讓他的心漏跳了半拍。

「我會記住你說的。」

你最好記住這點！

「走太快小心跌倒！」

「那也是我的事！」

對，這是他的事，別人都不要插手……

就在下一瞬間，他的腳底不小心踩到了褲子邊緣，整個人一下子仆跌在沙灘上，而他腦海中的暗忖甚至都還沒結束。

「……」

「……」

周遭陷入了全然的寂靜，安靜到 Tongrak 都可以聽到魚跳出水面的聲音。

「哈哈哈，你看起來就像一隻大青蛙。」

男人爽朗的笑聲響徹了整個海灘，讓那個趴在地上的人顏面盡失、渾身顫抖，耳根子紅得跟煮熟的蝦子一樣。

該死的，我到底在幹嘛？

Tongrak 內心滿是沮喪，但他不想等男人再激怒自己，於是急忙爬起身，不顧全身是砂，快步往另一邊走去。

「哦，你感到害羞所以逃跑了嗎？」

誰會害羞啊？他只是站穩了準備回去而已！

當然，Tongrak 不會轉身把這一切都告訴他，只是加快了腳步，帶著憤恨的表情離開了那裡。

直到對方的身影消失在盡頭，Mahasamut 才搖搖頭笑出聲，雙手耙了耙自己的頭髮。

「太可愛了。」

羞紅的臉頰、嫣紅的雙唇再加上淚水盈眶的眼睛，看起來就像個忍住不哭的小孩。

Khom 告訴過他 Tongrak 是個聰明成熟的人，自己很敬重他，但 Mahasamut 完全沒感覺到 Khom 的形容，他只覺得 Tongrak 就像一隻生氣的貓兒，總是喜歡張牙舞爪威脅人。

不過他喜歡有個性的貓兒。

男人走回餐廳繼續去吃掉那些放得有些久的早餐。他想要找出讓對方順從自己的機會，畢竟自己是個如此善良的好人哪，呵呵。

「該死的腳！哪裡不摔偏偏摔他前面！」

才一走進房間，Tongrak 就死命搓揉起自己的臉。先前他跌倒時，沙子往臉上撲來的感覺仍然清晰，他甚至覺得自己的動作就像被放慢五十幀的電影一般。

「你為什麼偏偏在他面前摔個狗吃屎！」

他蹲在地板上，忍不住哀叫出聲。

「別再想了，Tongrak，不管過去發生什麼都讓它過去吧！」

雖然嘴上是這麼說，但那個笑聲卻迴盪在腦中。

「好了，別再想了，該工作了，把你的情緒放在工作上吧。」Tongrak 走到桌前打開了筆電，試著調整自己的情緒，因為在他的故事裡有了新的反派。

那個該死的混帳多適合當鯊魚的誘餌！

Tongrak 準備好要開始打字，但一打開他的作品，腦海中的憤怒立刻熄滅。他忘了一件重要的事。

愛情戲。

是的，他忘記了要寫關於愛情的橋段。

Tongrak 忍不住嘆了口氣，為什麼這樣的事情老是重覆上演？

「我們要休戰嗎，Tongrak 先生？」

距離他在沙灘上跌倒後過了兩天，Mahasamut 在這期間一直纏著 Tongrak，但也被他無視了整整兩天。

不管他再怎麼窮追不捨，Tongrak 完全不曾正眼看過他，像是在告訴他：「你就繼續下去吧，但別奢望我會回頭看你一眼。」

而此時此刻，Mahasamut 和 Tongrak 坐在同一張桌子邊，盯著那個埋頭於筆電的美麗男人。

他沒有任何反應，但看上去好像有些害羞。

「Tongrak 先生，嘿，Tongrak 先生，你能聽到我的聲音嗎？」

雖然他會死纏爛打，但不代表他會騷擾正在努力工作的人。一開始，他看到對方拿著筆電坐在可以看得到沙灘景色的餐廳裡，以為對方正在工作，但隨即發現除了看著螢幕之外，Tongrak 敲鍵盤的次數屈指可數。

Mahasamut 腦中回想起 Khom 對他的稱讚。

他確實擁有一張美麗的臉，不僅如此，還有那讓人目光流連的纖細身材。

男人銳利的目光盯著 Tongrak 光潔的頸項往下看，雖然他正在工作，但脖子還是直挺挺的，凌亂的劉海掉落臉側，觸碰著鏡框，與白皙的臉龐相得益彰的明眸大眼，深邃分明的鎖骨，還有放在鍵盤上的修長手指。

若問自己想不想親吻那漂亮的手指？答案是肯定的。

即使 Mahasamut 發出了噪音，那個盯著螢幕看的人卻始終沒有任何反應，只是輕皺細眉，緊咬下唇，直到唇瓣有些紅腫。

他正因某件事而惱火，但 Mahasamut 不認為對方是在生自己的氣，所以他好奇地看向電腦螢幕。

Mahasamut 看了留在螢幕上的最後一句話，並低聲地開口唸：

「愛情到底是什麼？」

銳利的雙眼瞥向那個坐在原處一動也不動的作家。

作家陷入了沉思，蜜色雙眼茫然地看著螢幕，沉浸在自己的世界裡。

砰！

眼前的螢幕突然被蓋上，Tongrak 的注意力被拉了回來，如夢初醒，蜜色雙眼眨了眨，看向那個打擾自己工作的男人，不知道為什麼他要這麼做。

但自己似乎在他的雙眼裡看到了……關心？

那情緒只維持很短的時間，男人臉上又露出了痞痞的笑意，低沉的嗓音再度開口：

「我手滑了。」

Tongrak 再度眨了眨眼，終於意識到是誰干擾自己工作後，努力壓抑內心升起的怒氣。

「沒人告訴你不要打擾正在工作的人嗎？你怎麼連這點基本禮貌都不懂。」

Mahasamut 滿臉笑容地看向他。

「我是個鄉下人啊，Tongrak 先生，基本禮貌是什麼，很重要嗎？你不也對我的話充耳不聞？」

Tongrak 再次被這些話激怒，他撥開對方的手，眉頭皺得死緊。

「走開，我在工作！」

「你在工作？我只看到電腦開著浪費電。」

「不關你的事。」

Tongrak 一個眼刀射過去，但看到男人那像是在尋找什麼東西的眼神時，又是一愣。

那雙彷彿能看穿自己內心的雙眼，讓 Tongrak 忍不住與他的視線膠著。

「你得休息一下。」

「……」

不要在意，不要回應，不然只會顯得自己很弱。

Mahasamut 面對他的沉默只是聳聳肩，一臉無所謂。

「我們還是去旅行吧。」

男人不等他回應便一手抓起他的筆電，惹得 Tongrak 大叫出聲：

「把我的筆電還來！」

「我告訴過你需要休息，我帶你去看看好東西。」

Mahasamut 用力拉起了作家，內心清楚明白自己為什麼要干涉對方。

因為他不喜歡 Tongrak 盯著螢幕時那痛苦的表情。如果 Tongrak 對自己現在所做的事會感到痛苦，那麼唯一的辦法就是分散他的注意力。

Tongrak 雖然對他粗魯的行徑感到憤怒，但不知道為什麼內心又有些欣慰。他真的不知道這次的愛情橋段要怎麼寫，陷入死胡同的他正在尋找脫困的方法。

Tongrak 會登上這個島有兩個原因，一個……是被朋友騙了；第二個，他打算為工作尋找新的靈感。

　　他承認自己對大海並沒有太大的期望，就算是馬爾地夫，他也不像自己最好的朋友那般著迷，所以此時的他對於身在船上這件事感到很惱火，不管再怎麼漂亮的海，他都看膩了。

　　這艘中型船隻駛出漁港時，清澈的海水有如透明玻璃般讓人可以直視水下深處的美麗珊瑚礁，Tongrak 內心的咒罵和不悅為此漸漸消失，海水帶來的清新氣味不可思議地洗去了內心的憤慨。

　　大海與地平線形成鮮明的對比，眼前的一切太過綺麗，令 Tongrak 嘴角忍不住漸漸上揚，拂來的海風讓他感到舒心。

　　「你能好好坐著嗎？這船不大，小心翻了。」

　　Tongrak 才剛想探出身子看海就被船夫警告制止，要不是他們兩人現在身處大海中央，他肯定會掉頭走人。

　　他轉過身面向大海，閉上雙眼，感受這難得的涼爽。

　　Mahasamut 看著他，嘴角勾起一抹笑意，Tongrak 現在的樣子比起之前盯著電腦螢幕時要好上許多。他想讓 Tongrak 再開心一些，內心深處渴望看到對方愉悅的微笑。

　　可以暫時休戰了。

　　鈴——

　　就在這個時候，Tongrak 的手機響了起來。他嚇了一跳地接起電話，看到螢幕上的來電者時，眉頭輕皺。

　　「怎麼了嗎，Mook？」

　　Mook 又是誰？

Mahasamut 不太想打擾對方，但對話聲卻傳了過來。

「什麼？訊號不太好，再說一遍。」Tongrak 試著尋找訊號較好的地方，但遍尋無果，只能往船頭的方向移動。

「這裡不會有好訊號，我們在大海中。」

「不關你的事。」Tongrak 不悅地看他一眼。

「好吧，我只是好心告訴你。」

「誰需要你的好心？」

「不需要就不需要。」Mahasamut 聳聳肩，看著繼續努力尋找訊號的 Tongrak，但不管作家再怎麼努力尋找，不管再怎麼掛斷電話重撥，結果都一樣。

Tongrak 專注地尋找訊號，忘了自己現在身處何方。

噗通！

就在這個時候，一個東西落海的聲音吸引了 Tongrak 的注意。他瞪大了眼，看著那個掉進海裡的船夫，連忙將手機塞進口袋裡，快步移動到了船尾，卻只見水面上冒出的泡泡。

他掉進海裡了嗎？

「不，這不可能，實在是太扯了！」Tongrak 的心跳加速。

那個人總說自己是大海的孩子，也不斷吹噓自己有多屬害，像他那樣的人居然會掉進海裡，真是無法想像的事！

一個想法突然鑽進了 Tongrak 的腦袋裡，難道自己被拋棄了？

他試圖保持冷靜，雖然時間只過了一分鐘，卻感覺像是過了好久好久。

「Mahasamut！這一點都不好笑！」

Tongrak 不得不把頭往外探，卻什麼都沒看到，身子開始顫抖了起來。

他連忙往船頭的方向走去，卻仍然找不到對方的身影，內心的不安逐漸擴大。這周圍沒有一個人，他甚至不知道該向誰求助。

Tongrak 環視著周遭，只有一望無際的大海，他心跳狂亂，明顯慌張起來。

「這一點都不好玩！」Tongrak 緊咬下唇，就算自己再怎麼不喜歡他，也不想看見對方淹死。「Mahasamut！Mut！你在哪裡？」

這可能是他第一次大喊對方的小名。

然而回應他的只有海浪聲，Tongrak 焦急地紅了眼眶。

「Mahasamut！快出來！」

就在這個時候，他聽到船的另一端傳來了水聲。Tongrak 連忙往聲音來源跑了過去，毫不在意船身因為自己的劇烈動作而搖晃不已。他看到那個高大的男人一下子從水裡冒了出來。

「你吃過海裡的貝類嗎？」

Mahasamut 笑容滿面地看著他，揚起手上裝了海膽的網袋。

Tongrak 沒有回應，只是沉默著。

「你哭了嗎？」

面前的男人眼眶盈滿淚水，讓那個潛入海裡尋找貝類的男人愣住了。Mahasamut 把網袋丟上了船，接著抓住船舷將自己拉了上去。

冰冷的海水濺到船上，還有一些濺到 Tongrak 身上，但此刻已經沒人在意。

因為 Mahasamut 更在意的是 Tongrak 眼底的淚光。

「你在擔心我嗎？我剛看你在講電話所以沒有打擾你，怕你會覺得我很沒禮貌。」男人試著像前幾天那樣用開玩笑的口吻說話，但 Tongrak 蜜色的雙眼卻始終盯著他，緊抿雙唇，臉色蒼白。

Mahasamut 低沉的聲音變得有些溫柔。

「你嚇到了嗎？」

「……」

「我沒事。」

「……」

「你看，我真的沒事。」

「……」

Tongrak 越是沉默，Mahasamut 的聲音就越溫柔。

「對不起，你不要哭好嗎？」

聞言，Tongrak 才意識到自己居然快哭了。

「讓我幫你擦掉眼淚吧。」

當 Mahasamut 準備伸出手時，Tongrak 用力往他臉上揮了一巴掌。

「我以為你掉進海裡了！我以為你不會再回來了！我以為你……會死。」Tongrak 怒不可遏地大喊，「這樣很有趣嗎？我討厭你不代表我想看到你死，你是想讓我心臟病發嗎？媽的混帳！不要抱我，放開我！」

Mahasamut 雙手已環住 Tongrak 纖細的腰身，另一隻手緊扣住他的後腦杓，將他壓在自己被海水浸濕的肩膀上。

「對不起，是我錯了。」

Tongrak 不在意男人是否會因為被甩了一巴掌而生氣，也不在意是否會被對方反擊，他只想宣洩自己的怒氣，但男人的反應卻超乎預期，只是一個勁地在他耳邊低語。

「對不起，Tongrak 先生。」

他緊抱住有些掙扎的 Tongrak，讓他的臉貼在自己身上，低沉的嗓音喃喃訴說著歉意。

「是我錯了，原諒我吧。」

在廣闊的大海中央，Tongrak 任由那個男人抱住了自己。那個自己曾說過就算這個世界上只剩下他，也不會讓他上自己床的男人。

Episode 4

讓餐點美味的方法

「你還在擔心我嗎？」

「我沒有在擔心你。」

「是嗎？你剛才明明還哭了。」

「誰哭？我沒哭。」

讓那個大男人在船上抱了自己許久後，Tongrak 這才回神過來，自己除了落淚之外居然還被對方抱在懷裡，於是他連忙推開男人，逕自坐在船頭，雙手摀住發燙的臉。

他居然不小心哭了！

他明明被嚇得不輕而且還想狠狠打男人一拳。

Tongrak 看了 Mahasamut 一眼，對上後者銳利的視線。

這一切實在是太糟糕了。

「是我錯了，原諒我吧。」

自從他們認識以來，自己從沒聽過對方發出那樣的音調，語氣很溫和且滿是內疚，如此真誠，讓 Tongrak 慢慢忘記了憤怒。

Mahasamut 雖然做錯了事，但自己也不該打那一巴掌。

Tongrak 再度看了那個南方人一眼，一句道歉卡在喉嚨裡卻開不了口。儘管內心認為自己並沒有做錯，也不需要道歉，再說了他可是被嚇個半死，對方才應該跟自己道歉吧？

但要是自己主動開口，那男人肯定會抱怨被打的地方很痛。

Mahasamut 現在已不像之前那樣安慰人的口氣，而是恢復了原本說話的語氣，讓 Tongrak 的內疚也就沒有那麼

深了。

「說得也是，Tongrak 先生是個聰明人，不像我是個鄉下人。」

「你知道就好。」

「真殘忍。」

看看他那一副委屈的樣子，就像個青春期的叛逆少年耍嘴皮，自己是不是應該要再打他一巴掌？

「！」

「你為什麼脫掉上衣？」

就在 Tongrak 想著要不要多打他一巴掌時，那個黝黑的男人竟脫掉了濕透的上衣，露出結實精壯的身材。

先前當他們擁抱時，Tongrak 早就察覺對方隱藏在衣服下的肌肉線條，冰冷的海水藉由他的體溫讓自己感受到陣陣暖意。

他知道 Mahasamut 的身材應該比想像中來得好，只是不想承認。

但現在由不得他視而不見。

當男人拉起上衣時，露出了線條分明的肌理和寬闊的胸膛、強壯的手臂以及散發男子氣概的黝黑皮膚，目光不經意往下看去，甚至還可以從褲子下的 V 型凹槽看到些許的黑色毛髮。

該死的，Tongrak 你在想什麼？

他想狠狠地拍自己的臉頰，為什麼他會不由自主把目光停留在男人下半身？

　　Mahasamut 的眼睛閃閃發亮，看起來心情很好，讓 Tongrak 雙頰一陣燥熱。

　　「衣服濕了。」

　　他的眼神一看就是在演戲，沉厚的嗓音裝得天真，但 Tongrak 知道他內心真正的想法是什麼。

　　「誰叫你跳進海裡！」他抱怨著移開了視線。

　　Tongrak 第一次和男人發生關係是在高中，過去的十年也早已看過不少人，包括那些自認身材好的男人。

　　由於見得太多，甚至還有些膩了。

　　即使他曾說過就算世上只剩這個男人，自己也絕對不會跟他上床，但才過了幾天，他就越來越擔心自己會改變想法。

　　他實在不想承認這個男人就是島上的珍品。

　　「我說過要帶你看好東西。」

　　「你的好東西就是海膽嗎？我吃膩了。」

　　「你吃過剛從海裡撈上來的嗎？這是最新鮮的，要潛入海裡去現撈。」Mahasamut 一臉得意地看著那個雙頰通紅的男人。

　　「我不餓。」那男人固執地說。

　　「天啊，你早上只喝了一杯咖啡，怎麼會不餓呢？」

　　「就說了我不餓……」

　　咕嚕……

　　Tongrak 簡直想一頭跳進海裡。

　　他實在怨恨自己這過於誠實的身體，前一秒還在和對

方爭辯，下一秒肚子就發出了叫聲，再看向 Mahasamut 那毫不掩飾的笑意，發現自己早已數不清來到這裡出過多少次糗了。

「你都不怕脖子扭到嗎？」每次看到他倔強地抬起脖子、做出高傲的表情，Mahasamut 都會忍不住這麼問。

「不關你的事！」Tongrak 扶住自己的脖子，轉過頭生氣地看他。

有什麼好笑的？

他內心滿是憤怒，然而男人此時臉上卻帶著笑意，看起來心情很愉快，只見他啟動了船上的引擎，Tongrak 不由得眉頭輕皺。

Mahasamut 似乎是注意到他的異常，於是溫柔地回應：「我們要到附近的沙灘上吃飯，你不習慣大海，我擔心你暈船。」

Tongrak 原本應該會露出和善的神情——如果男人沒有接下來說那句話。

「我可不想擦嘔吐物。」

「你那張嘴被鬼刺穿了吧！」作家咬牙切齒地說。

「你有見過這麼帥的鬼嗎，先生？」男人大言不慚地回。

該死的！他到底哪來的自信！

眼見爭論無果並宣告失敗，Tongrak 別過頭，耳邊再度聽到對方的輕笑聲。

到底是哪裡好笑？

他有些沮喪，聽著行駛在大海中的引擎聲，看著船將

海浪分割而成的白色水花，涼爽的清風撲面，讓 Tongrak 覺得在海上漂浮的感覺很好。

眼角餘光再次瞥了那開船的男人一眼。

脫去上衣的他身上只剩一件褲子，或許那精壯的身材能讓不少人為之瘋狂，但比起身材，Tongrak 更在意其他特徵。

Mahasamut 給人一種質樸的感覺，有股原始狂野的氣質，可以感受到他全身上下散發出的陽剛味，當他抱住自己時，Tongrak 竟開始好奇這男人在床上會有什麼樣的表現。

是會像海水在舌尖的味道一樣鹹，或是會辣到讓他又麻又痛？

他真的……就只是好奇而已。

「把嘴張開。」

「我不吃髒東西。」

「什麼髒東西，我有洗過手。」

「如果你是指把手伸進海裡的話，那根本不叫洗過！」

「好啦，鹽水可以消毒。」

Tongrak 想回到幾分鐘前，把自己當時腦中升起的疑問給完全抹除掉……他為什麼會好奇這樣的男人在床上的滋味？

　　這個瘋子把他帶到了某個不知名的小島。這裡不要說人了，連鳥都沒看到半隻，只有一隻小螃蟹在沙灘上橫行無阻。

　　雖說這裡是陸地沒有暈船的問題，但男人拿出剪刀剪下海膽的刺，將那個自己只在高級餐廳看過的黃色海膽肉遞到他嘴邊，說出了自己最不想聽到的話。

　　「我忘了帶筷子。」

　　雖然他手上拿了一把刀和剪刀。

　　「吃一點吧，我特地為你下海抓的。」

　　「有人拜託你了嗎？」

　　「就當我拜託你吧，嚐嚐看，保證你會愛上這種鮮味。」

　　Tongrak 再次拒絕，但沒有成功。

　　「你不餓嗎？」銳利的雙眼盯著他拒絕的表情，飢餓的男人緊抿雙唇，「算我拜託你了，吃看看吧。」

　　他真的一點都不想吃。但當 Tongrak 最終拗不過男人，伸出手準備接過海膽時，對方又抽回了手。他不解地看著男人再度將握著海膽的手繞回他嘴邊。

　　「不要弄髒你的手。」

　　Tongrak 內心浮現了一百萬個拒絕的理由，但不知道為什麼卻張開了嘴巴，讓 Mahasamut 的指尖把海膽送進自己的嘴裡，或許是因為眼前那雙緊盯不放的眼睛，或許自己也想知道那是什麼味道。

　　不是海膽的味道，而是這個人。

他本來只是想吃海膽，但是⋯⋯

男人細長的指尖碰觸了自己的唇瓣，黃色的海膽肉落在舌尖上，海水的鹹味立刻充斥在口腔，隨之而來的是甜美多汁的滋味，但這一切的美味似乎⋯⋯都不及停在他唇上的手指要來得有吸引力。

經驗告訴他，對方的眼神代表著什麼。

他想要自己。

Tongrak 看得出那雙銳利的眼底閃過一抹慾望，男人的雙眼盯著自己的嘴巴一動也不動，直到他覺得此情此景就像獵人等待獵物一般，但不知為何，向來習慣當獵人的自己，此時卻感覺像是被追趕的獵物。

作家陷入了沉默，他想知道對方接下來會做什麼。

Mahasamut 的指尖撫弄著 Tongrak 豐滿的嘴唇，一開始只是輕輕按壓，有如蝴蝶搧動翅膀般，接著加重了力道，迫使 Tongrak 張嘴讓他感受自己口腔裡的溫暖濕熱。

「你知道我第一次見到你時，就想做些什麼嗎？」

「想打我？」他故意挑釁地說。

「不是。」Mahasamut 低沉的嗓音響起。

他的聲音讓 Tongrak 莫名感到有些興奮。

「我想知道這喋喋不休的嘴巴⋯⋯嚐起來是什麼味道。」

「呃！」

Tongrak 正想反駁，但 Mahasamut 的大姆指卻壓著他的上唇，讓他無法輕易說話，接著滑至他的下唇，露出了

濕潤的紅色領域。

高大男人靠近了他，炙熱的呼吸也噴在 Tongrak 臉上。

在無人島上，Tongrak 發現自己處於一個前所未有的境地，甚至感覺全身迅速發熱。

這感覺使人興奮，興奮到讓 Tongrak 躍躍欲試。

作家感到嘴唇有一股難以忍受的衝動，雖然有點可怕，但他並不排斥。

他喜歡這樣的刺激。

「你想知道嗎？」Tongrak 開口問。他的問題和允許沒什麼不同。

他看著男人靠近了自己，近距離感覺他身上的熱意，讓 Tongrak 想要伸手去觸碰，本能讓他們貼近彼此，自己則因為慾望而失控。

Mahasamut 逼近了他，灼熱的氣息撲在 Tongrak 鼻尖上，彷彿是在引誘即將越線的人。

Tongrak 變得無法再忍受。

他抓住了男人的脖子，迫切想知道對方的答案，另一隻手則放到沙灘上支撐自己。

「哎唷！」

當他的手靠在沙地上時，掌心突然傳來一股刺痛，讓他忍不住痛叫出聲。

這反而吸引了男人的注意力。

「讓我看看。」Mahasamut 看向了他的手。

當男人抓起他的手時，Tongrak 痛得皺眉，接著在自己

手上看到了血跡。

　　他被割傷了嗎？貝殼邊緣造成的傷口雖然不大，也足以讓白皙的皮膚滲出血來。

　　「你真是笨死了。」

　　「唉唷，輕點。」Tongrak 因他粗魯的動作而忍不住抱怨。但當對方接下來的那句話落下後，疼痛就變成了刺激感。

　　「我想下次會找到答案的。」

　　這嘴唇嚐起來的味道如何，要等到下次才能有答案。

　　這句話將 Tongrak 從疼痛的情緒拉回來，他嚥了口口水，下意識地開口：

　　「不會有下次了。」

　　Mahasamut 沒有回應，只是嘴角勾起一抹弧度，接著大步涉水回到船上，留下那個受傷的人坐在沙灘上咒罵。

　　他已經有一個星期沒找人做愛了，但要是跟這個人……

　　「看來今晚得找個對象了……」

　　他是因為太孤單了……對，就是太孤單了。

　　今天晚上他可以盛裝打扮去酒吧狩獵，看到喜歡的就帶回房間。

　　「你真愛自言自語。」

　　當 Tongrak 還在沙灘上分析自己時，Mahasamut 已帶著一瓶水和 OK 繃走了回來，坐在他身邊。Tongrak 將頭轉向另一邊，不去在意那個替自己包紮的男人。

受傷的原因是 Mahasamut，所以包紮是他的責任。

Tongrak 選擇忽略了一個事實，他之所以會受傷是因為自己太興奮，才會將手伸向沙灘，不小心被貝殼劃過。但不管怎麼樣，千錯萬錯都是別人的錯。

「噢，很痛，你快點處理！」

當手上的傷口被男人擠壓，試圖排出傷口可能沾到的沙子時，Tongrak 痛到想要抽回自己的手，卻被對方牢牢抓緊，Mahamsamut 迅速地打開了瓶水，淋在他的傷口上。

「忍耐一點，現在我手邊沒有任何能處理傷口的藥物，只能先幫你清洗然後貼 OK 繃。」

為什麼 Tongrak 覺得他在笑？

「很痛啊。」

「沙子都擠出去了，乖，不痛哦。」

「我不是小孩子，不要用這種方式安慰我。」

「那是誰一直在喊痛的？不過就是個小傷口。」

受傷的作家捶了一記他的肩膀，這該死的男人不但沒有一點憐憫之心反而還越笑越大聲，但注意到對方的眼神時，Tongrak 停下了動作。

他確定自己比對方年長，但在男人的注視之下，居然覺得自己年輕了不少。

很久沒有人這樣看著自己了。

貼上 OK 繃後，Mahasamut 的指尖仍然繞著 Tongrak 手上的傷口打轉，有如在給予安慰，低沉的嗓音變得很輕柔。

「要我幫你施展咒語解除痛苦嗎？」

「唔……」

Tongrak 還來不及反應，就見眼前的男人親吻了他手上的 OK 繃，儘管隔著東西，但那溫暖的觸感已傳了過來，令他忍不住開口勸阻：

「很髒。」

「你身上沒有任何地方是髒的。」

接著男人將溫暖的嘴唇移動到他的手腕上，鋒利的牙齒輕咬起 Tongrak 的皮膚，雖然力道不是很大，但也足以留下咬痕，使得許久未逢甘霖的 Tongrak 有些敏感。

他覺得自己要被吃掉了。

為什麼他會這麼有耐心？像他這樣的人，想要的東西就一定會得到的，不是嗎？

Tongrak 開始為自己的所作所為合理化，眼看著 Mahasamut 用舌頭輕舔手上的咬痕，身體和大腦的想法有了共識。他不懂為什麼要忍受，自己本來就想品嘗男人嘴唇的味道，想要和這個人緊緊相連。

「我……不會讓你上我的床。」

最後的一絲理智讓 Tongrak 開口阻止了他，儘管那輕柔的聲音明顯感受得到顫抖。

「這裡也不是床。」

「……」

「……」

兩人四目相交，胸口的一把火讓他們的呼吸有些急促，這是 Tongrak 最後意識到的一件事。

Tongrak 猛一個抓住了 Mahasamut 的頭髮，吻住了那個多次說出讓自己難堪話語的雙唇，柔軟的舌頭輕拂舔舐著，汲取著男人的氣息，全然忘了自己說過的話。

「唔……」

雖然這個吻是 Tongrak 先開始的，幾秒後一隻強而有力的手便抓住了他纖細的腰，強迫他靠向自己寬闊的胸膛。男人緊閉雙唇不讓對方掌控整個局勢，另一隻手則扶著 Tongrak 的後腦杓，確保 Tongrak 徹底品嘗他想知道的味道。

Mahasamut 的吻充滿了侵略性，不但不溫柔也很直截了當，甚至還有些咄咄逼人。

Tongrak 率先伸出了舌頭，品嘗自己好奇的甜蜜，沒過多久情勢就有了變化，Mahasamut 取得了領導權，滾燙的舌尖用力吸吮對方的朱唇，像是要把他的靈魂吸引出來那般，同時滑過 Tongrak 緊閉的領域，讓懷中的人忍不住逸出呻吟。

「把嘴張開。」

低沉的嗓音命令似地開口，讓 Tongrak 沒有異議地遵從。

「啊！」

當 Mahasamut 的舌頭猛地探進自己口內時，Tongrak 忍不住叫出聲，大掌緊扣自己的後腦杓不讓他有機會逃脫，Tongrak 再一次覺得自己……像是要被吃掉了一般。

作家全身顫抖著，這舉動反而讓對方更得寸進尺，直

到透明的唾液滑落嘴邊，沉浸在自己世界的兩人卻一點也不在意。

當男人稍微拉開距離時，Tongrak 大口喘著氣，但他不想停在這裡，他想要更多。

「哈啊⋯⋯哈啊⋯⋯」

對方似乎也不願就此放過他。

「啊！」

Tongrak 的弱點不是他的耳朵，而是他的⋯⋯喉結。

Mahasamut 的大手抓住了他的頭，強迫 Tongrak 的臉往上抬，吻住了他的脖子，炙熱的舌尖由下往上舔，讓 Tongrak 全身顫抖不已，不知道什麼時候，他已經倒在沙灘上，而那個高大的男人也跟著壓在他身上。

「別舔那裡⋯⋯啊⋯⋯」

「你喜歡，不是嗎？」

「沒⋯⋯沒有⋯⋯」

「但你全身都在顫抖。」

Tongrak 不知道自己為什麼會全身顫抖，但當舌尖輕拂他的脖子，舔過他敏感的喉嚨，再咬住下巴時，他顫抖得更厲害了；男人的大掌只要滑過他身體的任何部位，作家都覺得自己像是快要淪陷一般。

「啊⋯⋯呃⋯⋯」

Mahasamut 不只是用指尖撫遍他的身體，更張嘴含住了 Tongrak 胸前的突起，直到他的襯衫被汗水浸濕。

「喜歡嗎？」

Tongrak 把頭別了過去，將手放在臉上，不想回答這個問題。

「啊……」但他的身體卻相對老實。

不管 Mahasamut 怎麼嚙咬淺色的乳尖都會讓 Tongrak 忍不住扭動身體，他喜歡那個被逗弄的感覺，而且 Mahasamut 除了咬之外，還會吸吮，乳尖在重重刺激之下變得直挺。

他喜歡這個混帳的愛撫方法！

「！」下一秒，Tongrak 突然瞪大了眼，看著那個稍微起身並脫掉自己褲子的男人。

Mahasamut 順手脫掉了他的褲子和內褲，將之褪到腳踝邊，抬高了他的雙腿，使其下半身完全裸露。

這一切都發生得很巧妙，如此順理成章，Tongrak 的雙腿靠在男人的肩膀上，將自己最私密的部位展現在男人面前。

Tongrak 應該習慣的，但他現在卻覺得很害羞。

也許是因為他們此時躺在沙灘上，而且天色還很亮，自己卻下半身赤裸，腳踝仍靠在 Mahasamut 肩上，令他感覺到一陣羞恥，雙頰燥熱。他想把臉別開，卻發現自己無法移開目光。

凶猛的獵人眼底寫著明白的慾望，脖子青筋因而突起，Tongrak 注意到對方下半身的異狀，伸手想要去觸碰，卻被 Mahasamut 一把抓住。

「還沒輪到你。」

　　男人將他的手反壓在沙子上，臉上帶著一抹笑意。他分開了 Tongrak 的雙腿，讓他下半身完全地暴露。

　　不論是因為慾望而半昂起的分身，或者是等待著入侵的狹窄通道，男人將 Tongrak 的褲子放在了他的臀部下方。

　　「等等……」

　　Tongrak 的雙腿被往上推，直到大腿快要頂住自己的肚子，這個姿勢讓他的私密處更一覽無遺，而 Mahasamut 則跪在了他的面前。

　　Tongrak 落下了淚水，不是因為害怕，也不是因為害羞，而是因為他想死。

　　他對自己的身材充滿信心，但此時的他雙腿被開到一個尷尬的境界，那個男人卻只是將臉埋進他的下半身，沒有想要行動的樣子。

　　為什麼就只是乾看？快點動起來啊！

　　該死的！

　　當溫熱的呼吸滑過自己的重要部位時，Tongrak 全身止不住地顫抖。

　　現在他感到胃部抽搐及灼燒，需要一點東西來填滿。

　　「前面還是後面？」

　　但那之後，低沉的嗓音將他的思緒拉了回來。

　　「你想讓我舔哪裡？」

　　他的意思是想讓他舔前面還是後面嗎？

　　「我……還沒……洗乾淨……」

　　Tongrak 總是不喜歡正面回應。

「所以意思是後面。」

Tongrak 現在已經搞不清楚自己說還沒洗乾淨是為了拒絕或表示那是他想被舔的地方，但男人的話一落下便用炙熱的舌尖舔著自己後方緊繃的入口，並在四周打轉著，這份突然迸發的快感讓 Tongrak 忍不住發出愉悅的呻吟，酥麻傳遍了全身。

很多人舔過他，但都沒有這次的感覺強烈。

不像 Mahasamut 讓他無法自拔。

「啊、啊……那裡……對……好棒……」

當 Mahasamut 的舌尖一戳進狹窄的通道裡時，Tongrak 渾身劇烈顫抖，臀部因為快感躁動著，雙手抓著男人的頭髮，像是想要更多一般。

隨著男人的舌頭越伸越深，快感讓 Tongrak 仰起頭，下腹的慾望越來越強烈，昂挺的分身分泌出了透明的愛液，Tongrak 再次感覺到自己像是要被吃掉一般。

「啊……那裡……很好……Mahasamut……再用力一點……」

大掌抓住了 Tongrak 的分身，與舌尖保持同樣的律動節奏，前後夾擊的快感讓 Tongrak 呻吟得更加大聲，他不在意對方是誰，只知道自己已經快要達到慾望的高峰。

隨著 Mahasamut 的動作越來越強烈，Tongrak 再也忍不住弓起身子，壓抑的慾望即將瀕臨爆發邊緣。

「要去了……要去了……啊啊啊……」

Tongrak 全身顫抖，釋放出了自己的慾望，白濁的液體

沾濕了 Mahasamut 的手掌心，也濺到了他的胸前。

「哈啊……」

釋放過後的 Tongrak 大口喘著氣，身體止不住持續顫抖，他已經很久沒有過這樣的感覺，讓一個人舔著後方再玩弄前方達到高潮。

然而對方似乎不打算停下來。

「啊，等等……夠了，等等！」

他並不是不喜歡這種感覺，相反的他很喜歡。只是當對方又再度用舌頭挑逗自己時，他忍不住推了那寬闊的胸膛一記。

「為什麼？你看起來很享受。」

Tongrak 在這一刻意識到對方也有瘋狂的一面，喜歡戲弄高潮後的自己。

這種感覺實在是太美好了，好到他幾乎要忘了一切。然而 Tongrak 依然選擇推開了他，用再認真不過的雙眼看著他。

「我們必須回到島上，現在！立刻！ Mahasamut ！」

儘管身上仍殘留高潮後的快感，盈滿熱淚的眼眶裡卻有著明顯堅定的認真，讓 Mahasamut 一愣。

他清楚知道對方並不是在開玩笑。

Episode 5

值得支付的價位

太陽已西沉，豪華房間裡唯一能聽到的就是敲擊鍵盤的聲音，已經持續了一個多小時，那個坐在窗前藤椅上的年輕人為此嘆了口氣。

難道是他技術太差了嗎？

Mahasamut 忍不住在內心暗忖。他將下巴抵在膝蓋上，銳利的目光盯著聲音來源。

Tongrak 先生。

在海灘發生那件事後，一般正常人都會覺得他們回到島上是為了做接下去的事，但事實很殘酷。當 Tongrak 一回到房間打開門後，便筆直地走向桌前坐下、打開筆電，將雙手放到鍵盤上。

他這個姿勢已經持續了一個小時，而 Mahasamut 也一動不動地坐在原處。

他瞬間對自己喪失了信心。以前與他打過交道的人都會需索更多，但眼前的這個作家卻絲毫沒有打算和他繼續下去的跡象。這一點都不正常。

Mahasamut 看著已經平靜下來的分身忍不住苦笑，儘管沒有得到釋放，儘管被趕回了島上，但他一點也不在意。像自己這麼有耐心的人可以忍受這一切。

畢竟現在的情況比早上來得好多了。

他的意思是，現在 Tongrak 的樣子比早上要來得好，至少他現在享受著自己的工作。

原本空靈的雙眼此時閃閃發光，臉色也比早上更紅潤一些，文思泉湧一般快速打著字，讓 Mahasamut 感受到他

如此熱愛這份工作。

他早就從 Khom 那裡知道 Tongrak 是個作家。

一般來說，他不會關注來潛水的客人的身家背景，但 Tongrak 的照片卻讓他有些好奇，於是他上網搜查了一下 Tongrak 的名字，出現了大量關於作家的訊息。

不少新聞都會報導他是個受女孩追捧的帥氣作家，而且前途無量，多本小說被改成了連續劇，甚至還有他與知名導演的合照。

此外，也有不少粉絲公開發表對於他的小說的好評。

Mahasamut 稍微看過幾則新聞，在知道對方是個受歡迎的作家後便關掉了網頁，並不是他不想多了解對方，而是那些內容都與自己看到的不太吻合。

網路上看到的照片大部分都是自信、出眾的形象，但這不是 Tongrak 本來的個性。

Tongrak 生氣的表情要來得可愛許多。

他忍不住好奇像這樣的人是如何將腦海中的想像力化為文字，但 Tongrak 確實做到了這點。眼前的他是如此專注，完全沒有注意到自己。

「哈哈。」Mahasamut 笑出了聲。

緊盯著一個無視自己的人埋頭工作真是件瘋狂的事。

他提供了這麼多服務，對方卻連正眼都不看他一眼，讓他感到有些失落。

一思及此，他又忍不住笑了。

「安靜，我在工作。」

　　埋頭工作的男人平靜地開口，甚至沒有抬頭，周圍只充斥著敲打鍵盤的聲音，他的話讓 Mahasamut 噤了聲。

　　Tongrak 不同於以往的嚴肅和投入讓男人深感興趣，他想看到作家更多不同的表情，只是若不想被踢出房間，Mahasamut 應該要保持安靜。

　　Tongrak 白皙的後頸因為太陽照射而泛紅，身上仍有沙子殘留，但他看起來一點都不在意，可能只有 Mahasamut 會忍不住認為他的脖子很美味，之前嚐到的味道也證實了對方的身體有多甜美。

　　再看下去可能不是個好主意。

　　在確定這位 VIP 只想匆忙回來工作、留下他獨自枯萎後，Mahasamut 聳聳肩，低頭看了一眼自己的身體，現在的他除了身上的沙子之外，衣服已經乾得差不多了，於是他決定起身走向浴室。

　　只是洗個澡的話，房間的主人應該不會在意吧？

　　Mahasamut 的身影消失在浴室裡，外頭可以聽到水流衝擊地板的聲音，但讓專心工作的人回到現實的原因不是水聲，而是他終於敲下了最後一句。

　　關於這個故事的愛情描述情節，結束了第一階段。

　　「呼……」Tongrak 鬆了一口氣。

　　雖然這位知名作家寫了不少關於愛情的小說，但很少人知道他在寫作時總是會卡在「愛情」的關卡上，而他唯一的解決辦法，就是性愛。

　　有時候，解決問題只需要一個溫暖的擁抱。

雖然大多數情況下並不是很有效，之前 Connor 是那個能讓自己感到溫暖的人，但他已經有了另一半，Tongrak 不能再像過去那樣只要遇到靈感枯竭就去抱抱好友，依偎在他的懷裡，等著靈感大神上門。

他之所以會同意來到這個島，也是因為 Tongrak 厭倦了城市裡的人事物。

城市周遭的風景已經看膩，他想改變一下工作環境。

而他如今發現⋯⋯

Tongrak 看向半掩的浴室門。

他儲存了目前的工作進度，走向浴室並用力推開了門。

只見一個渾身赤裸的男人站在蓮蓬頭下方，濕漉漉的頭髮黏在他臉上，一隻手撐著牆壁，另一隻手則⋯⋯握住了他自己的分身。

那雙銳利的眼眸和自己對上時，傾瀉而下的水花讓他看起來更加危險。

男人的表情由一開始的凶狠變成了之前一貫的痞樣。

Mahasamut 甚至不關心對方此時是否正在注視著自己的下半身。

Tongrak 認為他下半身應該很雄偉，但沒想到超出預期。不管是大小還是形狀，甚至因為腫脹而突起的血管，都是 Tongrak 想看到的。

「你再看下去，我要收錢了。」

蜜色的雙眼對上了開口說話的男人。

Mahmasamut 不吝於展現自己的身材，他相當有自

信，自信到讓人討厭。

「一般情況下，錢到手就該工作，想必我剛才的服務，你一定很滿意，才會讓你站在這裡盯著我不放，免費讓你觀賞是我虧本了……」

Tongrak 不等他把話說完便走上前去，用力推了對方一記，讓 Mahasamut 背抵著牆，兩人身上都被水淋濕，當他貼著男人胸膛時，褲子下方的敏感處也抵住了對方。

作家抓住 Mahasamut 的脖子用力吻住了他，舌頭舔了男人的嘴唇，鋒利的牙齒咬了他的下唇，幾乎能嚐到血的味道，接著看向他的雙眼，開口問：

「多少錢？」

「……」

Mahasamut 沒吭聲，室內只剩水花滴落地板的聲音。

「看你的身體要多少錢？」

「……」

「跟你睡的話要多少錢？」

「……」

「在床上滿足我需要多少錢？」

「……」

Tongrak 問了最後一個問題。

「要買你，需要付多少錢？」

兩人視線相交，這次 Tongrak 不像之前那樣暴躁，眼神認真，像個進行正式談判的商人。

他這樣的表情……相當性感。

傲慢的人現在急切需要答案，如果他想被「滿足」，得付多少錢？

「……我很貴。」

Mahasamut 好一會才回話，眼前嚴肅的商人此時眼底充滿熱情。

「我付得起。」

Tongrak 的話讓兩人更靠近了一些，彷彿彼此就是在等著這一刻。

四片嘴唇在下一秒貼上，身體距離不留任何空隙，雙手在彼此身上游移。

Mahasamut 翻過 Tongrak，將他反壓在牆上，兩人有如飢渴許久的人一樣交纏著熱吻，彼此的舌尖追逐嬉戲著，直到透明的液體從嘴角流出，接吻的聲音迴盪在浴室內。

男人稍微退開身體，脫掉了 Tongrak 的襯衫，Tongrak 也迅速地脫掉了自己的褲子。

「啊……好……好棒……」

Mahasamut 的大手抬起 Tongrak 的腿，讓他們下半身緊緊貼合，他喜歡用敏感部位摩擦著對方的肌膚，感受體溫升高的滋味，如果是平常，他會毫不猶豫地含住 Tongrak 的分身，但今天他有了別的想法。

「幫我扶著。」

Mahasamut 抓住了 Tongrak 的手，讓他們兩人的分身貼合在一起，但僅靠 Tongrak 的一隻手是抓不住的，於是他伸出了另一隻手，握住了兩人的昂挺，臀部有些急切地

移動摩擦，灼熱呼吸噴灑在男人寬闊的胸膛。

雙眼裡寫滿情慾，白皙肌膚被染上了嫣紅，Mahasamut 炙熱的舌尖在他的皮膚上滑過，接著咬了一口。

「噢，你很喜歡咬人嗎？前世是不是隻狗啊？」

男人用空出來的手抓住了他的後頸，強迫他的臉往上仰，自己則埋進他的脖子舔著方才的咬痕，讓 Tongrak 呻吟出聲，現在⋯⋯他已興奮到有些神智不清。

他喜歡 Mahasamut 這樣咬他，不至於讓他受傷，但也足以讓他感到愉悅。

男人看了 Tongrak 一眼，後者確定自己在他臉上看到笑意。

「汪！」

這聲音本來應該很可愛，但換來的是 Tongrak 的呻吟。

大型犬將臉埋進了他的胸膛，舌尖輕舔著柔軟的乳頭，就像在品嘗美食一般。

Mahasamut 一邊咬一邊舔著，不斷地來回重複，直到那區域有些腫脹，Tongrak 移動身體讓兩人靠得更近。

Tongrak 完全不知道此時手上的愛液到底是自己還是對方的。

「Mahasamut⋯⋯用力吸⋯⋯對⋯⋯很棒⋯⋯」

既然他已經屈服了，為什麼要壓抑自己的慾望？

Tongrak 喜歡 Mahasamut 一邊挑逗他的乳頭一邊用指尖滑過他的臀部，同時刺激著前方與後方，雖然對他來說身邊總是不乏床伴，但他真的很喜歡 Mahasamut 挑逗自己

的方式，像是貪得無厭的樣子。

這是一種能逼瘋人的快感。

大手撫上了作家的背部，揉捏著 Tongrak 柔軟的肌膚，直到指尖深陷，指腹傳來的觸感讓他更想加大力道。

「啊……」

如果沒有行動就那不是 Mahasamut 了。銳利的雙眼緊盯著近距離的 Tongrak，可愛的身體就像是發情動物一般扭著，嬌紅的雙頰、急促的呼吸，汗水從額頭冒出。Mahasamut 關掉了水，接著將大掌移到 Tongrak 的臀部，來回搓揉著。

Tongrak 全身顫抖呻吟出聲。

「進來裡面……來吧……」

Mahasamut 修長的手指探向了後方柔軟的洞口並輕輕擠壓，同時惹來懷裡的人再也忍受不住地抬頭看他。

「唔……」

炎熱的雙唇貼上了朱唇，又急又快的熱吻撩起早已被點燃的慾火，讓 Tongrak 忍不住哀求更多。

「呃……」

當自己的指尖探進了 Tongrak 後方的洞口時，Mahasamut 忍不住低吼出聲，懷中人像是有股莫名的吸引力，讓他瘋狂到無法抗拒。

他將手指插了進去，懷裡的人立刻瞪大了眼，扭動著身體並大口喘著氣。

Mahasamut 的低吼轉變成了咆哮，Tongrak 的性感遠遠

超乎自己的想像。

柔軟的肉壁包覆著自己的手指，他能感受到對方體內的灼熱，修長的手指向內彎曲，尋找著能讓懷中人敏感的部位。

「啊啊……」

當 Tongrak 的嘴唇一得到自由，立刻發出了呻吟聲，眼底寫滿興奮，就在這個時候，Mahasamut 探入了第二根手指。

「你真是了不起。」

「為什麼……是性感……還是了不起……」

Tongrak 抬起頭看他，舐著嘴唇眯細了雙眼，當感受到體內的手指開始移動時，忍不住又呻吟出聲。

「啊……不……Mahasamut……不要碰……」

該死的，Mahasamut 很少像現在這樣失去耐心，當懷中人緊咬下唇，語無倫次呻吟時，他感覺忍耐已經到了極限，於是翻過了 Tongrak 的身體，讓他背靠著自己，用膝蓋分開了 Tongrak 的雙腿。

「放進來！」

Tongrak 因為體內的異物抽出而感到焦急，他不喜歡這樣的空虛。

他喜歡 Mahasamut 帶來的入侵感，那使他感到刺激，他喜歡後方被分開的感覺，也喜歡他那修長的手指伸進自己的手指構不到的地方，慾望讓他再度妥協而開口乞求。

他的乞求聲甫落下，Mahasamut 再度將三根手指插了進去，動作既暴力、野蠻又無情，讓 Tongrak 全身一震，雙手靠在牆上，呼吸開始急促，理智已經瀕臨斷線邊緣。

「啊啊……」

手指抽了出來，又再度插了進去。

一來一往讓 Mahasamut 感覺極度興奮，覺得自己再也無法忍受，只想將灼熱的昂挺插進那甜美的洞穴裡。

「保險套。」

「哈啊……在袋子裡……」

不需要多解釋就能明白。

Mahasamut 抓起 Tongrak 的手臂走回臥室，將他推倒在床上，自己則走過去那個敞開的行李箱。

「在前面那個袋子。」Tongrak 的聲音顫抖。

男人花了幾十秒才找到保險套的盒子，裡頭有各種尺寸，他迅速抓起自己尺寸的保險套。當他一回頭，就看到 Tongrak 趴在床上張開雙腿，雙手撐在柔軟的床墊上，讓自己全身赤裸，包括後方那顫抖的狹窄通道。

「來吧，Mahasamut，快點！」Tongrak 用發顫的聲音開口，並將雙腿張得更開。

啪！

「你居然敢打……哦！」

Tongrak 面露震驚地轉頭看向那個打自己的人，但他的話還沒來得及說完，後方傳來的壓迫感便讓他再也開不了口，比手掌拍打更劇烈的疼痛傳來，令他渾身難受。

「等等、等等！你太大了……啊！」

後方傳來的緊繃感逼出了 Tongrak 的淚水，他將手伸向後方強壯的大腿，但這動作看在 Mahasamut 眼裡像是在

鼓勵，於是他將自己的分身更往裡頭推進。

Tongrak 雙手抓緊了被子，腳趾踩在柔軟的床墊上，房內充斥他的急促呼吸和喘息聲，他感覺自己大腦一片空白。

「啊！」

當 Mahasamut 更往前移動時，Tongrak 發出了尖叫聲。

後方男人每往前一吋他就感到越疼痛，這同時也代表自己的體內被他給填滿，疼痛伴隨著快感充斥著 Tongrak 的神經，每一次的撞擊都往更深處去。

「啊、啊……」

豪華的房間裡迴盪著兩人的呻吟和肉體拍打的聲音，律動的節奏讓房內的溫度逐漸升高，雖然滿身是汗，但眼前的美景是如此迷人，Mahasamut 根本不在意。

Tongrak 白皙的肌膚布滿汗珠，後頸的汗水沾濕了頭髮，男人的大手壓住他的裸背，讓 Tongrak 貼在床上，翹起臀部。

Mahasamut 忍不住俯身舔舐他後頸的汗水。

「呃……」

當自己用力撞擊著 Tongrak 時，都能讓他的臀部在自己的腹部摩擦，Mahamsamut 感覺對方正在劇烈地顫抖。

Tongrak 伸出手抓住了男人的大腿，並將自己的臀部往上翹，另一隻手則握住自己下方早就濕透的分身，看起來像是已經準備迎接高潮。

「哈……啊……」

作家大口喘著氣，全身止不住陣陣痙攣，達到高潮的

他正在逐漸消失意識。

　　他轉過通紅的臉龐，滿臉淚痕地看向身後的男人，眼裡仍殘留高潮後的餘韻，讓 Mahasamut 無法開口揶揄。

　　看來 Tongrak 本人也沒想過高潮會來得這麼快。

　　「啊、啊啊……」

　　溫柔的吻像是一記強烈的安慰，和抽插速度變得更快的下半身截然不同，為了跟上已經高潮的 Tongrak 的節奏，Mahasamut 有了新的認知。

　　身下男人的臉龐因愉悅而變得扭曲，即使是達到高潮了也仍然接受著自己的進攻。

　　該死的！

　　男人低吼出聲，眼底寫滿了情慾，越是有新的認知，他就越感覺到失控。

　　他該怎麼親吻、撫摸，才能讓這個男人完全融化在自己懷裡？

　　腦海中浮現了這個想法的人靠近了 Tongrak 的頭部和肩膀，聽著他那甜蜜的呻吟，感受下半身一陣縮緊，接著猛然釋放出來。

　　Mahasamut 閉上了雙眼，將自己從高潮的情緒拉回，才睜開雙眼俯身準備親吻身下的人。

　　「結束了就拔出來。」

　　但他還沒來得及享受這份溫存，作家就將手放在他嘴上阻擋，一邊開口一邊喘氣，話中卻有著掩不去的冰冷。

　　「我還要繼續工作，拔出來。」

他的話讓 Mahasamut 簡直想打人。

剛才還在求自己，現在得到滿足後就翻臉不認人了！

原本他還想開口嘲笑，但今天他得到的已經比預期來得多，所以男人咬緊牙關，緩緩地抽身，看著那張美麗的臉孔因為自己的動作而哆嗦。

「悉聽尊便。」

雇主都這麼命令了，他還能說什麼？

「我必須現在就離開嗎？」

「是的，你留在這裡幹嘛？現在就走。」

「一做完就把我趕走？」Mahasamut 半開玩笑地問。

Tongrak 似乎不太在意，只是躺回床上，拉了被子蓋住自己的身體再下令：

「把保險套拿出去外面丟掉然後鎖上房門。」

「難道我們沒有結束後的擁抱嗎？」

「出去！」

Tongrak 抬起頭，聲音嚴厲，令 Mahasamut 忍不住輕笑。他到浴室拿回原本穿的衣服，銳利的雙眼看著縮在床上的圓球，臨走前還不忘補一句：

「不用幫你清理嗎？我的手指很長。」

與此同時，Tongrak 朝他丟了一顆枕頭。

「滾出去！」

「好吧好吧，明天見。」

男人有些心不甘情不願地離開了房間，還沒忘記鎖門。

在聽到關門和鎖門聲後，床上的人兒再度抬起頭，露

出了通紅的雙頰，濕潤的雙眼再搭上凌亂的頭髮，只能用性感來形容，而那個性感的男人暗自咒罵：

「該死的，Tongrak，你怎麼能讓他這麼做？」

這次的性愛經驗該死的好！

因為太好了，好到在他心目中足以排進前三名，讓他差點克制不了展開第二次的渴望。

Tongrak 雙手摀住自己的臉，內心暗忖：

我可能有麻煩了。

走出 Tongrak 房間的 Mahasamut 一臉滿意，雖然剛被趕出房間，但只要一想到對方可愛的樣子，內心就輕鬆了不少。

「他把我像流浪狗一樣趕了出來呢。」男人笑笑地說。

「哦，Mut 哥，你一個人在這裡做什麼？剛從客房走出來？」

一名身著酒吧工作人員制服的年輕人走過來故意調侃，惹得 Mahasamut 大笑出聲，舉起手揉了揉年輕人的頭。

「你知道的太多了。」

「我怎麼會不知道呢？就是我告訴他關於你的事啊。」男孩面露驕傲。Mahasamut 伸手勾住了他的脖子。

「是是是，親愛的，我會買一些零食給你。」

「說話算話啊 Mut 哥，別騙 Palm。」

「我看起來像是會騙你的樣子嗎？」

Palm 回以一抹「難道不是嗎？」的表情，但 Mahasamut 只是又揉了揉他的頭。

「走吧，今天我心情很好，請你喝一杯。」

「但我還沒下班。」

「我等你下班，所以你要不要來？」

「去去去，我不會錯過 Mut 哥請客的。」

男孩輕易被 Mahasamut 帶開了話題，忘了 Mahasamut 是從 Tongrak 的房間走出來，而他自己就是昨晚向 Tongrak 推銷 Mahasamut、並稱他為島上珍寶的酒吧店員。

Episode 6

最好的

今天 Tongrak 迎接了他來到島上後最神清氣爽的一
天。也許是因為他補了不少眠，沒人打擾他睡覺；也許是
這陣子累積的慾望得到了宣洩；也許是昨天晚上送來的食
物。

當他走出浴室、還沒來得及擦乾頭髮時，目光不經意
瞥向放在一旁的空盤子，腦中便回想起昨天的經過。

昨天，Mahasamut 離開後約莫過了一個小時，工作人
員來敲他的房門，說是送客房服務。Tongrak 當時只喝了幾
口咖啡，幾乎沒吃什麼東西，突如其來的食物讓他差點當
場流口水。

「客房服務。」

「但我沒有點。」

「哦，但 Mut 哥說是你點的，我看他行色匆匆地走進
廚房，所以就讓他插隊了。」送餐的人老實地說。

Tongrak 得知幫他叫客房服務的人是誰時，一開始暗自
咒罵對方實在太多事，但另一方面肚子餓的他對於即時雨
感覺良好，最終決定接過食物並全部吃完。

這可能是他睡得香甜的原因之一，而不是因為那個擅
長床事的男人的好意。

絕對不是。

他沒意識到自己正在微笑，視線飄向天空，外頭天氣
正好，他不想待在房裡。

他想走出房間並不是因為好奇那個男人去了哪裡。他
真的不想知道。

Tongrak 沒有花太長時間就找到了 Mahasamut。

他並沒有引起注意，聲音也不算太大，但他坐到了自己喜歡的位置，那是他之前用來一邊感受微風一邊工作的地方。不過讓他輕皺眉頭的，是一群包圍住 Mahasamut 的女孩們。

三個看起來不像是泰國人的東方女孩。

Tongrak 不確定他們在聊什麼，耳邊傳來斷斷續續的英文單字，還有那些女孩時不時的尖叫聲，惹來 Tongrak 不悅的瞥視。

她們居然會對那種皮膚黝黑的男人感興趣？

Tongrak 嘟起嘴巴，不在意是否連自己也罵了進去。他一點也不喜歡這個男人，Mahasamut 只是個身體強壯、力氣很大且性慾旺盛的男人……

他停頓了一會，決定不走過去。儘管他們發生過關係，但也不代表是屬於彼此的，兩人之間只存在買賣交易。

眼前的事與他無關。

「哈哈哈！」

原本打算轉身就要走的 Tongrak 聽到一陣開朗的笑聲，讓他更加惱怒，腦中閃過了一個問題：

他買的狗，為什麼要放任牠去蹭別人的腿呢？

他不喜歡和別人分享他的東西。

　　這個念頭讓 Tongrak 嘴角勾起一抹弧度，隨即拿起手機點開網路銀行，心中計算起昨天的海灘和房間服務應該要支付的金額後，往上再加了一些——因為 Mahasamut 說他很貴。

　　這不是 Tongrak 常做的事。他不常為這種事付錢，他的朋友才是老手。

　　要問朋友是誰？當然是 Connor，在他擁有小男朋友之前。

　　Tongrak 按下轉帳，盯著那個正在大笑的男人接起手機的通知。

　　只見男人收斂了笑容，盯著手機，接著抬頭和 Tongrak 對上視線。

　　Tongrak 向他揮揮手，臉上掛著笑意。

　　他知道自己長得很好看，也知道自己很受歡迎，更知道自己的笑會讓那些女孩全紅了臉。

　　作家笑笑地打招呼：「Hi，guys！」他向在場的女孩一笑。

　　這些女孩可能只是想認識一個皮膚黝黑、眼神銳利的男人，與她們在自己的國家會看到的完全不同，但又要像 Mahasamut 一樣優秀的類型。女孩們看到 Tongrak 出現後也回以笑容，只是眼睛仍然盯著坐在一旁的男人，像是在等 Tongrak 的下一步動作。

　　Tongrak 低聲地開口：

　　「I have something to tell you……」

他用大姆指比了比那個被自己拴住的大狗。

「He belongs to me……」

「！」

付了錢，就是他的。

Tongrak 再度露出燦笑，無視那些面露驚異的女孩們，推了 Mahasamut 一把讓他跟著自己。

作家笑得像個勝利者。他贏了其他人。

與此同時，收到匯款提示的 Mahasamut 明顯一愣，感到有些困惑，因為那筆匯入的金額不小，但他不記得參與過什麼投資，唯一能想到的，就是先前的工作。

一般來說，被人莫名用錢砸來，照理會感到受辱，但男人並不在意，相反的他很喜歡 Tongrak 的舉動。

Mahasamut 揮手告別了女孩們，跟上 Tongrak 的腳步。

一等到離開那個區域，他才大笑出聲。

「哈哈哈……」

「你看到錢所以瘋了嗎？」

Mahasamut 仍止不住大笑，而方才面露笑意的男人則已眉頭輕皺，見 Mahasamut 越笑越大，惹來 Tongrak 嚴重的不爽。

「哈哈，我才不會發瘋。」

「你現在看起來就是個瘋子。」Tongrak 瞇細了眼，雙

手環胸。

Mahasamut 露出一抹狡猾的笑容，湊近 Tongrak 低聲說：「真的不能瘋……因為我的雇主可能不會想和一個瘋子上床。」

「……」

他喜歡 Tongrak 將目光別開的樣子，他喜歡對方的無言以對和不知所措，他喜歡這人表現出來的占有慾，因為他喜歡被拴上繩子。

「你、你知道就好。」

Tongrak 低聲咕噥，讓 Mahasamut 改變了話題，即使他很想調侃下去。

他對自己是如此地迷戀，導致不想輕易放手，是吧？

「而且我餓了，吃膩度假村的食物了，這裡不能叫外送，我也不會騎摩托車。」作家連珠炮似地開口，別開了臉。

他的意思是……

「我知道一家好吃的餐廳，我帶你去吧。」

貓兒要自己帶他出去吃飯。

皺眉的作家露出了滿意的神情，眼底閃現掩不去的亮光，上揚的嘴角讓人看出他此時的好心情，令 Mahasamut 鬆了一口氣。

還好他剛才忍下了調侃的衝動，不然 Tongrak 可能又會炸毛。

「謝謝。」

「謝什麼？」

「昨天的客房服務……你要騎哪輛車？快點，我餓了。」

Mahasamut 不得不壓住自己臉上的笑容，當他看到那個想表達感激又無法老實道謝的男人，忍不住覺得無比可愛，雖然對方加快語速又一臉傲慢，但羞紅的雙頰早就出賣內心真實的情緒。

「昨天的客房服務雖然是我叫的，但你要自己付錢。」話得先說在前面，Mahasamut 在吝嗇方面可是不會輸給任何人。

「我知道，自己吃的飯自己付錢，不用告訴我怎麼做。」Tongrak 不明白為什麼男人要刻意這麼說，他吃的飯他自己付錢，這不是很正常的事嗎？

Tongrak 對於 Mahasamut 的小氣不以為意，讓男人露出了燦爛的笑容，喜歡對方那有些困惑的反應。

他實在是太可愛了，可愛到自己想立刻將他帶上床。

幸運的是 Tongrak 不會讀心術，不然這頓飯局可能會再次宣告失敗。

一輛中古機車熟練地停入碼頭邊的小停車場，時間接近中午，艷陽此時高照著，海風帶來清新味道，而不是一般的魚腥味。

就在車停好的時候，Mahasamut 感覺有人用力拍了自己肩膀一記。

「為什麼要打我？」

他不解地看向動手打他的人，一回頭就看到坐在後方的 Tongrak 滿臉通紅。

「太熱了嗎？」

雖然他們頂著大太陽騎車，但吹來的風並沒有想像中熱，還是只有自己不覺得熱？

Mahasamut 眉頭輕皺，不明白為什麼對方一臉不悅還打了自己，難道他做錯了什麼事嗎？還是不該讓 Tongrak 坐機車？

男人可以想像 Tongrak 這種生活在都市裡、出入都開車的人，也許不習慣坐機車，因為他不管上車或保持平衡，以及機車下坡時試圖和駕駛者維持距離的姿勢，都顯示他不是很常搭機車，一旦機車駛回一般道路後，他就會不自在地別過頭去。

Tongrak 可能沒注意到自己一直透過後照鏡觀察他。

一開始他看起來心情很好，會問 Mahasamut 要去哪裡，討論這裡的森林，並對好奇的東西提問，像個充滿探索心的大男孩。

男人承認他喜歡這個心情好的 Tongrak，但在半路上，後方的人突然安靜了下來，也許是開始覺得無聊了吧，於是 Mahasamut 便安靜地騎著車，讓作家自己體驗平常在都市看不太到的景色。

只是，為什麼 Tongrak 看起來一臉不高興的樣子？Mahasamut 不知道原因。「你不下車嗎？」

只見 Tongrak 依舊坐在車上一動也不動。

雖然不介意載著他環島一周，但如果他不下車的話，頭頂就是炙熱的大太陽，Mahasamut 有些擔心這個臉蛋通紅的人會因此中暑倒下。

「……」

「你說什麼？」

Mahasamut 看著那個嘟起嘴、別過臉的作家，對方似乎很不滿。

「什麼，你說什麼？」男人傾身想聽清楚他說什麼。

「……痛。」

「什麼？」Tongrak 的聲音有點小，Mahasamut 又提高了音量詢問。

面對大聲詢問的男人，Tongrak 表情有些尷尬，忍不住揚手準備再度攻擊他，但被 Mahasamut 眼明手快地抓住了。

打了自己無所謂，怕是傷了他的手。

「你為什麼生氣？」因為擔心 Tongrak 會暈倒，所以 Mahasamut 選擇放柔嗓音，低下頭對上他的視線，嘴角上揚，像在安慰小孩一樣。

而這個作法也確實讓對方軟化了下來。

「很痛。」

「哪裡痛？」

男人連忙彎下腰想檢視 Tongrak 的腿是否不小心擦到

了排氣管,或是被路上的石頭擊中留下傷痕。

他正想蹲下來檢查作家的腿時,Tongrak 抓住了他,讓兩人的視線再度對上。

作家滿臉通紅,稍微鬆開了緊咬的紅唇,有些不太自在地開口。

「我的屁股痛。」眼神有著明顯的閃爍及羞恥,聲音顫抖,他說得有些不情不願,然而那可愛的雙唇繼續說:「都是因為你。」

昨天晚上的畫面在 Mahasamut 腦海中閃過。

「為什麼不告訴我這樣坐屁股會很痛?而且路也很崎嶇不平!」

原來有問題的不是昨天激烈的性愛,而是沒有事先警告他坐摩托車會屁股痛?

回過神來的 Mahasamut 忍不住在他唇上落下一吻。

「為什麼要吻我?就這麼喜歡看我受苦的樣子嗎?你這個瘋子,你這個變態……」

男人又再度吻住了那雙紅唇,封住了 Tongrak 的咒罵。

「Kanlaewakaisaihai kunnalaklao。」

「?」

對方突如其來的南方語言讓人摸不著頭緒,Tongrak 面露不解地看著他。

這張漂亮的臉實在是太可愛了。Mahasamut 忍不住又想親上去,但在看到對方額上的汗珠時,連忙改變了話題。

「來吧,我來幫你,對不起,我不知道你不舒服。」

Mahasamut 拉起 Tongrak 的手放在自己肩上，另一隻手則環住了他的腰，幫助他下車，而 Tongrak 則因為張腿坐了太久，以及島上那不平穩的道路而下半身痠痛不已，欣然接受對方的援手。

「你不怕被人撞見你抱著男人嗎？」他好奇地問。

停車場旁是一排排低矮的房子。

「那你怕被看到你被男人抱著嗎？」Mahasamut 反問。

Tongrak 聳聳肩。

「不，我從沒否認過自己的性向。但明明是我先問的，附近住著你的鄰居嗎？」

Tongrak 是擔心他會不會成為其他居民茶餘飯後的八卦對象。

男人也聳聳肩，「我不在意別人怎麼想。」

見對方一臉不相信，Mahasamut 忍不住笑笑地開口：「你對我的事情感興趣，是嗎？」

「誰感興趣了！」

Tongrak 站好身子後，快步走向陰涼之處，發紅的耳根卻洩露了心思，讓在後方的 Mahasamut 忍不住笑了出來。

「你剛才說的那句是什麼意思？」

他聽不懂 Mahasamut 剛才用南方口音說的話，又壓不住內心的好奇。

「我說，今天晚上我會溫柔一點。」Mahasamut 在他耳邊輕聲說。

語畢，男人後退了一步，觀察 Tongrak 的反應，而對

方的反應也正如自己預期。

作家滿臉通紅，緊抿紅唇。

這表情真的很性感。

Mahasamut 跟不少男人上過床，卻沒有一個能比面前這個傲慢又愛狡辯的人還要來得吸引他。

「不需要。」他不是拒絕提議，「我應付得來。」

他喜歡對方的回應。

Tongrak 丟下這句話後快步離開，雖然他根本不知道餐廳在哪裡，而 Mahasamut 看著他的背影感到十分有趣。

他知道自己在說什麼嗎？他知道自己的反應多可愛嗎？

實在是太可愛了！可愛到 Mahasamut 想搔搔他的下巴。

當 Tongrak 在島上和那個弄痛他的男人爭論時，位於曼谷一棟豪華公寓大廳裡，一名短髮、長相可愛的女子正坐在沙發上一臉擔憂、咬著自己的指甲，雙眼盯著從昨天就沒有回應的手機。

為什麼 Rak 哥不接她的電話？

Mook 是 Tongrak 的秘書兼助理，此時她忍不住在內心尖叫起來。

從昨天開始，她就一直試圖聯絡那位老闆兼哥哥，但

不管打了幾通電話，那裡的訊號好像都很糟，晚上打時對方不接，現在已經直接打不通。她想知道對方是不是開了勿擾模式，每當 Rak 消失去寫新作品時，就像是與全世界斷了聯繫。

如果他沒有主動打電話來，自己也別想聯絡得上他。

出版社請他寫新作品時，Tongrak 心情好就會動筆，如果不喜歡的話就會直接拒絕；邀請他出席書展或參加原作被改編成劇的拜神儀式都不是什麼困難事，只要他有那個意願，基本上都不是問題。

Tongrak 狀態好時，她會覺得工作相對輕鬆，但當他狀態不好時，又會讓 Mook 很無力。

但這不是讓她一直試著與 Tongrak 聯絡的原因。

「哦！為什麼你不接我的電話？」

Tongrak 的身分除了一般人所認識的作家之外，大多數人並不知道那受人尊敬的哥哥名下還有不少房地產，大部分是由母親所贈與的。有時他會以便宜的租金出租那些豪華的房子，例如現在 Connor 住的公寓，Tongrak 便以非常優惠的價格讓他的好友承租。

當房東對他來說只是一種消遣。

至於 Mook，她不僅是一名助理，要負責安排工作日程、聯繫出版商、導演或審核版權文件，甚至還得協助打理那些出租的房子。

然而過去的日子裡，有個人從來沒有聯繫過自己，為什麼偏要在 Rak 不在的時候聯絡她？

Mook 再度看向來電紀錄。

Vi⋯⋯今年最受注目的女主角，一位才華洋溢的女演員，受眾人追捧的迷人女星。

她因為與作家的關係密切而備受注目。

Mook 嘆了口氣，再度嘗試撥號給 Tongrak，卻發現電話已經關機。

「唉，Mook，這是妳的工作，但 Rak 根本不接電話！」她忍不住大聲抱怨。如果 Tongrak 人在現場，肯定會給她一個白眼。

為什麼她得坐在這裡打電話呢？

正是因為幾天前，那位萬眾注目的女主角打電話來說她的房間有問題，已經住了半年的她遇上了麻煩，因此 Mook 這個受僱者應該協助處理。

只是⋯⋯天知道那房間根本沒有任何問題！

好吧，看來今天不是她的日子，說什麼她都得再上去查看了。

Mook 在心裡一邊抱怨自己的老闆很不可靠，一邊無奈地走向了電梯。

實在是太迷人了！

房屋一棟棟矗立在水面上，以水泥與木柱支撐著，中間有著為了連接每棟房間特地築起的通道，大小不一的船

隻停在自家屋前，包括了漁船或快艇，一旁還有圍起來的小型漁塭，可以看到各種魚類在裡頭游來游去，入目淨是漁村風貌。

走在通道上，Tongrak 看著漁塭中一條凶猛的大魚浮了上來的畫面，嘴角勾起一抹弧度，露出迷人的微笑，接著再看向另一個方向。

「這幾天你跑去哪裡了？偶爾回家一趟可以嗎？我需要一個可以喝酒的人。」

「爺爺別老是想著喝酒啊，喝多了會加速去天堂的速度的。」

「Mut！聽聽你那張嘴都在說些什麼啊。」

一個七十歲左右的老者正在和 Mahasamut 對話，打從他們走進這裡，兩人便用著流利的南方語言交談，語速相當快。

Mahasamut 說他知道的那間店就在這附近。

他說的可能是真的。因為那男人看起來像是認識這裡所有的居民。

不只 Mahasamut 會主動跟大家寒暄，這裡的人看到他也會熱情打招呼，即使是不到一歲的小朋友也會對他舉手要他抱。Tongrak 並沒有因為一路被阻礙而想罵人，雖然他的肚子餓扁了。

或許是這裡的時間過得比平常還要慢，或許是他知道這裡的人並沒有惡意，或許他喜歡這種樸實所帶來的安心感，於是面對說著自己聽不懂語言的居民，都回以友善的

笑意。他們會稱自己為「帥哥」或者「Mut 的客人」，在男人向爺爺打招呼時，他就停下來看魚。

「我們走吧。」

「你們聊完了嗎？」蹲下來看魚的 Tongrak 抬起頭。

「聊完了，抱歉，聊得有點久。」

「你可以走了嗎？」Tongrak 看向那個笑容滿面、朝著他們揮手的缺牙爺爺。

「沒關係，我等下再回來和他聊。他自己一個人住，孫子們都搬離這裡了，我有空就會來陪他聊天，不差這個時候。況且要是我再聊下去，你就要餓死了。」

Tongrak 很想說自己可以等，但轉念一想，好像也沒有等的必要，於是聳了聳肩。

就在他準備起身時，一隻大手伸到他面前，吸引了他的注意。

「讓我幫你吧，你身體不舒服，對吧？」

語氣中的調侃讓 Tongrak 忍不住皺眉。

他差點就想打掉對方的手，但 Mahasamut 那銳利的眼神盯著自己，Tongrak 只好將手伸向他，讓他拉自己起身。

「Mut 哥！我親愛的大哥！」

他再次聽到有人呼喚 Mahasamut，如果不是因為似曾相識的臉孔，或許 Tongrak 會考慮回去看魚。

聲音的來源笑容滿面，Tongrak 記得好像在哪看過他，對方本來要跑過來抱住 Mahasamut，只是礙於自己在場收回了動作。

「嗨，帥哥，還記得我嗎？」

Tongrak 眉頭輕皺，視線停在燦笑的男孩臉上。

「咦，」他指著男孩，「島上的寶藏？」

怪不得覺得眼熟，原來是那個打廣告的孩子？

那個煩人又話多的孩子。

「是的，就是我，看來我的廣告打得挺成功的，你們還牽著手耶。」Palm 低頭看著牽在一起的兩隻手，令 Tongrak 馬上想要掙脫，卻被 Mahasamut 緊緊握住。

Palm 對於 Tongrak 的掙扎不以為意，反而還驕傲地挺直腰板，拍了拍自己的胸膛。

「雖然你看起來不是很在乎的樣子，但還是覺得我的推薦值得一試，對吧？」

如果把這個多話的小子推進漁塭裡，犯不犯法？

Tongrak 看了一眼抓住自己的男人，後者眼底閃閃發光，讓他有股戳瞎男人雙眼的衝動。

他在內心暗自祈禱 Mahasamut 不要隨便發表言論，他不想讓男孩認為自己真的相信了廣告效果。只是上天並沒有聽到他的禱告。

「我也覺得我自己不錯，你覺得呢？」Mahasamut 揚起眉毛問。

他們兩個簡直是混帳！存心讓自己難堪！

布滿 Tongrak 雙頰的紅暈已經回應了一切。

Episode 7

不需要憐憫的貧民

　　一間位於海中的餐廳裡，最裡頭的位置被兩位年輕男子所占據，那個位置可以近距離看到清澈碧藍的海水，享受迎面而來、帶著清新海水味的海風。

　　其中一名男子往外頭的方向看了過去，另一名則將目光停在他臉上，注視對方緋紅的雙頰。

　　「呵呵。」

　　「笑什麼？有什麼好笑的？」

　　「我們兩人坐在一起，當然不會是笑海裡的魚。」

　　Tongrak 咬住下唇，看著面前那個讓他火大的男人，接著用力轉頭望向大海，臉上有著掩不去的彆扭。

　　其實他應該要感到生氣，因為他覺得自己被騙了，一個撒下誘餌，另一個則負責收線；他聽得越多就越覺得自己被愚弄，Palm 甚至還從 Mahasamut 那裡拿到了錢。

　　他是應該要生氣，但事實上並沒有人強迫他付錢買下……這個貨品。

　　Tongrak 回頭看了一眼在說話的男人，揚起眉毛。

　　那個男孩說得沒錯，Mahasamut 確實是這個島上的寶藏。

　　一思及此，Tongrak 不禁又覺得有些尷尬。

　　一開始明明下定決心不會買他也不會付錢接受他的服務，現在卻被自己狠狠打臉。

　　此時此刻 Tongrak 不想和面前的男人有任何視線的交流。

　　「你很好奇嗎？」

「我不好奇。」

當男人低沉的嗓音響起時，Tongrak 連忙反駁，又將目光轉向另一端的漁船。

「但我想告訴你。」

「我不想知道。」

「就聽一點點？」

「不聽。」

當他聽到男人大笑時，當下立刻想反嗆他有什麼好笑的，Mahasamut 就是他所想的那種混帳。

「我只是想讓你安心一點。」

看來 Mahasamut 根本不把他的話當一回事。

Tongrak 選擇沉默。他明明說過了不想聽也不想知道，因此決定任由另一個人自說自話，將注意力轉向他處，但耳朵卻能聽清一切，甚至是掛在店門口的風鈴聲。

Mahasamut 則繼續說下去。

「我確實給了 Palm 錢，讓他向度假村的客人宣傳我的服務。」

「我就知道，我要告訴經理，你和你弟弟聯手推銷……」

「但我讓他宣傳的是我的潛水活動。」

聞言，Tongrak 猛一個轉過身，眼神對上了 Mahasamut，看見了後者肩膀顫抖、嘴角忍不住上揚的渾樣。

「但是、但是……」

「我只讓他宣傳這項活動，從來沒讓他宣傳過我本人還

有——特殊性服務。」

「但我聽到了！」

「那是他自己說的，他說他為我驕傲。」

「……」

Tongrak 一時之間無言以對，看著眼前這個充滿自信的男人，到底是有多自戀才敢大言不慚地說自己優秀到讓人為他驕傲？然而 Mahasamut 就是那樣的人，他正以一種輕鬆的態度解釋著一切。

「一開始，我請了不少孩子或是在度假村裡工作的朋友幫忙宣傳我的潛水店，若不這麼做，我這間小潛水店要怎麼和度假村客人來往？更別說這幾年我吃過不少閉門羹。最近隨著地方推動發展，島上有不少店家開始支持當地人的工作，包括你所住的度假村、我的潛水活動，還有其他在地小商家，才能得到全面的推廣和支持。」

儘管 Mahasamut 說得很隨意，但 Tongrak 卻覺得事情並不如他所說的那麼簡單。

男人外表看起來應該只有二十歲出頭，卻說自己已工作了好幾年。

「你應該要說你是支持當地工作的領導者。」

就在這時，餐廳裡工作人員送來了第一道菜，順口補充了男人所說的話。

「正如你所看到的，Mut 是這些活動的主要推動人。一開始，沒有人願意聽一個小孩子的話，更不想理什麼推動在地商家工作的瘋狂建議，他還說什麼大家必須互相幫

助，當時所有人只是嘲笑他太天真不切實際。直到現在，Mut 的英文已經很流利，甚至連度假村的高階主管都願意聽取他的建言，這間店也欠他一個人情。」

開口說話的人看起來像是店主，口氣很是驕傲。

然而 Tongrak 並不在意，只當成在聽一個故事。

「我幫了阿姨什麼嗎？」

「哈，臭小子，我不能表達對你的感謝嗎？」

「哈哈哈。」

男人大笑出聲，否認了該屬於他的功勞，直到阿姨瞪他一眼，甩頭離開。

「為什麼每個人都要叫我臭小子？」Mahasamut 半開玩笑地說。

Tongrak 沒有移開自己的視線，由男人的笑聲裡，他感受得到對方的真誠、善意還有尊重，不管他之前有多麼煩人，但這人身上的開闊爽朗是自己從未遇過的。

Mahasamut 看起來心情很好，以致 Tongrak 不小心將視線停在他臉上良久。

男人銳利的雙眼再度對上他，嘴角勾起一抹弧度，眼底的真摯讓 Tongrak 的心漏跳了半拍。

「你這樣看著我，是被我的帥氣迷倒了嗎？」

Tongrak 眉頭輕皺，緊閉雙唇，蜜色的眼眸明顯不悅。

「帥氣？」

「我是島上的寶藏，無庸置疑。」

Mahasamut 又再度將話題拉了回去，讓 Tongrak 無法

反駁，因為他已經親自體驗過這個所謂的寶藏，幾天相處下來，也讓他清楚自己的口舌無法贏過厚臉皮的男人。

所以他決定別過頭去，不開口回應。

「Palm 的話是有些加油添醋，但我想知道他是怎麼形容我的？」

男人湊近 Tongrak，眼底有著好奇。

「……」

Tongrak 用力咬緊自己的下唇，目光停留在遠方的漁船上，不和男人對上視線。他心知自己無法在交談中取得勝算，不想讓男人再得意下去。

他不願承認眼前這個男人不管對男人或女人來說都是極品，原本認為的廣告不實也在經過昨天的驗證後被推翻，所以他閉上嘴巴不談。

「呵呵。」

他真的很討厭這男人的笑聲。

倏地，Mahasamut 伸出了手，用姆指輕壓 Tongrak 的嘴唇，令這位作家一愣。

「別咬了，不痛嗎？」

男人的姆指輕輕摩娑著朱唇，讓 Tongrak 不得不鬆開自己的貝齒，蜜色雙眼對上了 Mahasamut 深邃的眼神。

「那是我的事。」

「是的，確實是你的事。但當你咬下唇時……我會想吻你。」

「……」

　　聞言，Tongrak 不得不再別過視線，因為自己似乎被 Mahasamut 的言行大大動搖了。

　　他注意到一旁停了一艘漁船，決定拉開話題。

　　「那艘船的名字和你一樣。」

　　他承認自己是故意改變話題，如果讓對方知道自己居然因為他的動作而有了慾望，那會下不了台的。

　　Mahasamut 看向船的方向。

　　「那是我爸的船。」他邊說邊舀了一些冬蔭功湯到 Tongrak 的碗裡。

　　「嗯？」Tongrak 再度將視線移回船上，「那是艘漁船嗎？」

　　「是的，用來捕魚。但船是我爸的，不是我的。」

　　「你爸的不就是你的？」

　　「不是，我爸很久以前就和我斷絕關係了。」

　　Tongrak 一開始以為他是在開玩笑，但由他臉上的認真表情看來，對方口中說的是事實。

　　「我和我爸不合很久了，他把我趕出了家門，我就再也沒有回去過。」Mahasamut 繼續解釋。

　　「你在開玩笑嗎？」

　　「不是，你可以隨便抓個人問，這不是祕密。」

　　Tongrak 用難以置信的眼神看他。

　　「我被趕出家門的時候，大概十五歲吧。」

　　「十五歲？那你怎麼生活？」

　　含著金湯匙出生的 Tongrak 難以想像，一個應該是上

中學年紀的男孩要怎麼獨自生活？

　　就另一個意義上來說，Tongrak 也是自己一個人生活，但和 Mahasamut 不同的是，他從不缺錢。

　　男人依舊表現輕鬆，像是在談論別人的事。

　　「我和我阿姨住在一起，靠自己賺錢；也許你不相信，但這島上所有能賺錢的工作，我都做過。」Mahasamut 露出了和以往不同的神情，眼神幽深，像是腦中浮現了過去的回憶。

　　「那你為什麼不回家？」Tongrak 忍不住好奇地問。

　　「我爸向來是個言出必行的人，趕我出去也不是隨口說說，或許這是我們唯一的共通點。」

　　「……」

　　男人聳聳肩，臉上掛著笑意，和 Tongrak 的表情形成鮮明的對比。Tongrak 不知道自己為什麼會對一件跟自己無關的事感到低落，或許是他不喜歡聽到別人黑暗的過去，而且也不知道在聽到這些事後該如何反應。

　　他對於自己無法理解的事，不會假裝感同身受。

　　Tongrak 比平常還要嚴肅的表情已不復常見的傲慢，讓 Mahasamut 握住了他的手。

　　「你是不是覺得我很可憐？」

　　Tongrak 無法回應這個問題，就像他無法掙脫對方的手。

　　「如果你覺得我可憐，那我就是可憐的；如果你不覺得，那我就不可憐。但我想告訴你的是……我從來不會可

憐自己。」Mahasamut 面帶笑意，將湯匙塞進那雙沒幹過苦力的柔軟雙手，接著握住了他的手，感受自己喜歡的溫度，「你覺得我可憐嗎？」

「……不。」

Tongrak 此時已經有了答案，他並不覺得 Mahasamut 可憐。

幾年前，這個年紀還小的男孩和父親起了爭執，從此再也不回家，只能獨自生活，然而這並沒有讓他的生活更不順遂，相反的，他發揮了自己的力量，並且認識了其他的幫手。

他認識了整個島上的居民，深受他們的愛戴，努力為島上做出了貢獻。這樣的人怎麼會可憐？

男人鬆開了手，臉上有著掩不去的笑意，奇怪的是，他剛才握住的地方卻在 Tongrak 的手上留下深刻的熱度。

「你呢，為什麼會想成為作家？」

因為他想逃跑……

Tongrak 知道 Mahasamut 正在試著改變話題，但這個問題的答案只會勾起自己討厭的回憶，於是他端起湯喝了一口，感受冬蔭功湯在舌尖的甜、鹹和酸，最後是辣味。這碗湯是如此美味，讓他瞬間想到該怎麼回答對方。

「因為很有趣。」

「就這樣？」

「嗯，一開始只是因為好玩。」

「現在呢？」

Tongrak 不知道為什麼要告訴這個才認識幾天的人關於自己的事，但他無法阻止自己的嘴。

或許是因為對方那對包容的雙眸吧。

「有時候我也會想放棄一切。一開始寫作的時候，只是想和喜歡的人分享我喜歡的故事，隨著越來越多人閱讀，累積了一定的讀者後，也會有人開始對主角指指點點、說三道四，就像是追問為什麼奇幻小說裡會有龍一樣。但因為是虛構的故事，所以小說裡什麼都有可能發生。」Tongrak 嘆了口氣，其實這只是一小部分，更別說還有很多他不想看到的負面留言。

「你對你目前正在做的事開心嗎？」

Tongrak 先是一愣，接著嘴角勾起。

「如果不開心的話，就不會有現在的作家 Tongrak 了。」

Tongrak 喜歡 Mahasamut 再次抓住自己的手，這並沒有其他的暗示，但他下意識地不感到排斥。

「這就是生活。」

男人給了他一朵真摯的微笑。

不知為何，Tongrak 覺得自己今天晚上能寫完一個纏綿悱惻的愛情故事了。

「去哪裡了？」

吃完飯後，Mahasamut 準備去向爺爺告別，而 Tongrak 則跟著去看之前的魚塭。然而不管他怎麼找，都沒找到一開始看到那隻浮上水面的大魚。

「你在找什麼？」Mahasamut 忍不住好奇地問。

「我剛才看到的那隻大魚。」

男人聞言露出一抹笑意。

「其實你剛才有看到那條魚。」

「在哪裡？」

「剛才你吃的冬蔭功湯裡。」

「……」Tongrak 瞪大了眼看向 Mahasamut，後者向他點點頭。

「你說很好吃。」男人大笑出聲。

Tongrak 跟著男人的腳步往車子方向走過去，離開前還不忘一臉歉意地看向魚塭，腦海卻浮現了某部恐怖電影的情節。

『Rak 哥，你實在太殘忍了……

『Rak 哥，為什麼不接 Mook 的電話……

『Rak 哥，快回電給我……

『Rak 哥，你的朋友在取笑我……

『Rak 哥，Vi 姐比你更殘忍……』

　　Tongrak 從浴室走出來正在擦頭髮，拿起手機看了看上頭傳來的訊息，似乎並不意外看到這麼多的留言。因為打從他來到這個島上後就關閉了所有通知，每次他只要想認真工作就會這樣，但引起他注意的是私人秘書兼學生時期的學妹發來的抱怨訊息。

　　她將手機裡的卑鄙貼圖全發送了一次。

　　Tongrak 並沒有回電給她，而是選擇打電話給另一個人。

　　〔怎麼樣，你寫了幾章？〕

　　「妳是我的編輯嗎？」

　　〔我替你的編輯問問，她現在一定在大哭，因為你還沒把初稿給她。〕

　　電話那端是有些惱人的挑釁言論，但 Tongrak 並不在意，只是輕笑出聲，再擦了擦自己的頭髮。

　　「妳壓力有大到需要欺負一個小朋友嗎？」

　　〔……〕

　　對方陷入了沉默，Tongrak 臉上的笑容越擴越大。

　　「最新的新聞是什麼？」

　　〔……說我跟導演睡了才當上女主角。〕

　　Tongrak 忍不住笑了出來，就算沒見到面，他大概也能猜到自己的好友正怒火中燒，而且有殺人衝動。

　　Vi，也就是大家所熟知的 Vivi Vorapapha，是當紅的年輕女演員，拍過不少知名作品的她炙手可熱，傳聞她脾氣暴躁也有些任性，導致周圍的人對她沒什麼好感，不管做

什麼事都容易成為別人針對的焦點。她也是 Tongrak 從高中開始就很要好的朋友。

他們關係親密，因為兩人個性很像，惺惺相惜。

Tongrak 是個作家，Vi 是個演員，她後來因演出 Tongrak 的小說而出名，不久前還有傳言她是靠著裙帶關係才拿到了這個角色，於是兩人約在酒吧碰面，拍了一張拿酒杯的自拍照，並將照片公開。

如果他們要這麼想，那就讓他們去想吧。

Connor 覺得這樣的八卦很好笑，還笑了好幾個星期。

因為 Tongrak 明明是個同性戀，不折不扣的那種。

Tongrak 從不隱藏自己真正的性向，如果出入有名的酒吧或俱樂部，就會看到他經常和男人廝混在一起，要是再深入查下去肯定能知道真相，但這樣的謠言為 Vi 帶來了麻煩，而且明顯就是在攻擊她。只是她沒有生氣，反而還覺得很好笑，也不打算遮遮掩掩，甚至搧風點火，讓外界誤以為他們兩人真的有曖昧。

這一切看起來是如此諷刺，同時也吸引了不少媒體記者爭相報導。

這次應該也和往常一樣，但受她情緒影響的反而是他的秘書。

「是 Frost 嗎？」

〔嗯。〕

「真有趣，我聽說他和一個小鮮肉交往。」

〔是的，被迷得神魂顛倒，他讓他的心上人在片場裡實

習，每次休息時都會和他一起消失。〕

Vi 笑笑地說，而 Tongrak 則將話題拉了回來。

「妳對 Mook 做了什麼？」

〔我什麼也沒做。〕

「那為什麼她發了一堆貼圖給我？」

在聽到朋友的笑聲時，Tongrak 沒好氣地對天一翻白眼，似乎能猜到那兩人之間發生過什麼事。

〔我只是累了，所以懶得起身，請她來幫我倒水，後來又因為餓了不想叫外送，就請她協助弄吃的。因為我一整晚都在拍戲所以沒有睡覺，就讓她來幫我收拾整理，只是洗幾籃衣服和一些盤子。她跟你抱怨了嗎？〕

「我覺得應該不只洗衣服跟盤子這麼簡單的事。」

他猜對方讓他的秘書去幫忙整理的應該是凌亂了好幾週的房間，而捉弄 Mook 是為了減輕她自己的壓力。

〔不愧是我的朋友，真了解我。〕

因為他們兩人的個性太過相似，所以這種嘴皮子對他來說沒什麼用。

〔那你是打電話來罵我的嗎？〕

「不，妳想做什麼就做什麼。」

〔等下她又要找你哭訴了。〕

Tongrak 輕笑出聲，腦海浮現 Mook 鼓起雙頰嘟起嘴委屈巴巴的樣子，抱怨自己根本沒有幫到她，還把不把她當妹妹了？在這一瞬間，他似乎明白了為什麼朋友喜歡捉弄他的秘書。

「不要把她逼到辭職了。」

〔我知道，我朋友沒有秘書什麼都做不了。對了，你去那裡跟幾個人上床啦？〕

Tongrak 沒想到朋友會突然改變話題，決定結束通話。

「我睏了，晚安。」

他不等對方回應便匆匆掛斷電話，不想讓他的朋友知道真實人數。

一個。

自從他來到這裡，就沒跟第二個人發生過關係。

如果第一個就是極品，有什麼理由再找第二個？對吧？

「我為什麼要替自己找藉口？」

Tongrak 低下頭，讓毛巾遮住自己發燙的臉頰。

Mahasamut 走在通往大海的水泥小徑上，經過白天他帶 Tongrak 去吃飯的餐廳，轉了幾個彎後，走進了一棟木屋。

這棟木屋是他用來放潛水設備的地方，二樓是他的休息區。幾個月前，他剛和一位日本朋友合了夥。

雖說是朋友，但比他年長了兩倍歲數，他們之所以會認識，是因為後者每年都會來這裡潛水，一次停留就是數個月，兩人聊著聊著就發展成忘年之交。就在去年，

Mahasamut 提起自己的潛水店，詢問對方是否有興趣加入。

不知道是不是自己老實不避諱承認沒有錢，這份坦誠的態度吸引了對方的注意，那人很快就同意合作，並表示不用擔心錢的問題，他會提供資金，Mahasamut 負責貢獻勞力。這個合作計畫約莫一天就談成。

Mahasamut 明白像這樣的運氣並不多，儘管不知道未來會發生什麼事，但他想好好把握眼前的機會。

Mahasamut 心知肚明自己很貪婪。

現在他搬進了這裡居住，此處鄰近船和碼頭，但若要說這是他家，倒不如說是只個休息的地方。

裡頭沒有什麼太大的傢俱，所謂的床只是放在角落的床墊；雖然有衣櫃，只放了幾件普通的衣服，另外還有一個置物櫃。

Mahasamut 將車鑰匙放在架上，走進浴室，不一會便穿著寬鬆的睡褲出來，隨意用手揉了揉濕髮，坐在床墊上拿起手機。

一如既往，手機裡沒有那個漂亮作家的訊息。

但他一點也不意外，點開手機只是為了發訊息給他的好友 Khom。

他承認自己喜歡看 Tongrak 談起工作時閃閃發亮的雙眼，但直覺告訴他，Tongrak 成為作家應該有更多內幕，不像表面說的那麼簡單，他想更了解對方。

『你知道 Tongrak 的工作是否有其他的問題嗎？』

男人在發完訊息後便將手機隨手一扔，預期他的好友

不會立刻給予回應，只是他才剛躺下，手機便傳來了訊息。

『我不知道，但Connor說不用擔心他的工作。』

對方的回應勾起他的興趣，Mahasamut坐起了身。

『怎麼說？』

對方很快就回了訊息。

『Connor說Rak哥可以處理他工作上的事，比較讓人擔心的是他的感情問題……詳情我也不了解，我問了他也不回我……Connor說答案要自己去找。』

Mahasamut感謝遠在加拿大的朋友回覆的訊息，接著再度躺下，腦海中浮現那位作家美麗的臉龐。

不只是他的臉，所有關於Tongrak的事他都會很好奇。

他想知道如果自己抱住他，對方會露出什麼表情？如果自己取笑他，他會有多生氣？如果他說了甜言蜜語，對方會不會害羞？如果他說出關於自己的故事，他願意傾聽嗎？

那張布滿淚痕的臉至今仍在他腦海裡揮之不去。

他因為找不到自己而驚慌失措，但為什麼會崩潰到大哭失聲？Mahasamut很好奇是不是過去發生過什麼事，讓Tongrak會露出這樣的表情。

他必須要自己找到答案。

Mahasamut不由得回味起Tongrak羞紅的雙頰及紅到熟的耳根，嘴角高高勾起一抹弧度。

看來今天他會睡得很好。

Episode 8

愛是一種幻想

　　美麗的大海與清澈見底的水面，甚至能看到裡頭游來游去的魚群。

　　晴朗的天氣吹來微微的海風。

　　海浪拍打岸邊，激起道道白色浪花。

　　以上一切都非常適合來度假的遊客。

　　照理說也應該包括來這裡度假的遊客 Tongrak。

　　「這傢伙為什麼也來了？」

　　身著短褲加深色背心的男人正在拉船錨，但有人拉住了他的手，Mahasamut 轉頭看向手的主人，那人表情不豫。

　　看來這個美人心情不太好。

　　「我們去潛水吧。」

　　昨天 Mahasamut 邀請他一起來潛水。一開始 Tongrak 表現得一點都不在意，佯裝一副沒興趣的樣子，但 Mahasamut 取笑他都來度假村了不應該只待在房間裡，聽到對方提議潛水時，Tongrak 便答應了他的邀約。

　　而且還起得很早，甚至不需要 Mahasamut 叫他起床。

　　平時 Mahasamut 必須去 Tongrak 的房裡叫醒他，沒想到今天他居然已吃完早餐，戴著太陽眼鏡坐在桌邊喝起咖啡。

　　任何人都能看得出 Tongrak 相當興奮，對 Mahasamut 來說，對方那嘟起嘴的樣子也很可愛。

　　男人忍不住暗自竊笑 Tongrak 臉色的不悅和上揚的下巴，既往的驕傲又再度回到了他的臉上，柔軟的手仍然抓著 Mahasamut 的手臂，眼睛盯著那個早就跳上船的男孩。

「你好，帥哥，今天由 Palm 來為您服務，請多指教。」

那個已經爬上船幫忙拉船錨的年輕人揚起笑容朝 Tongrak 揮揮手，而被稱讚的人只是眉頭皺得死緊，滿臉不高興。

看起來像是仍然在意著廣告宣傳的事。

男人笑笑地握住了他的手。

「去潛水的時候需要一個助手，不然我帶客人潛水時，誰要來控制船？」他耐心地解釋，然而 Tongrak 還是忍不住抱怨。

「那為什麼要找他？」

「其實 Palm 算是和我一起做事，只是他更喜歡晚上的酒吧工作，旺季時他就會來幫我。」

很多人會在淡季時從事別的工作，旺季一到就返回原本的工作崗位。

Tongrak 聞言鬆開了手，Mahasamut 突然抓住他的手，與他十指交扣，湊近對方耳邊小聲說：

「還是你想和我做點別的事，不想被別人打擾？」

男人喜歡 Tongrak 的反應。

只見 Tongrak 慌張地想甩開自己的手，看起來一副想罵人的樣子，但礙於 Palm 在場，只能咬住下唇忍著。

看起來實在是太可愛了，讓人想繼續捉弄他。

「在船上也挺有新鮮感的，但我擔心你會暈船……啊！」

Tongrak 毫不遲疑地揍了他一拳，只見男人呻吟出聲，

鬆開了自己的手，然而作家白皙的臉頰早已泛起紅暈，當 Mahasamut 提到「在船上」幾個字時，Tongrak 的眼睛明顯異常發亮。

誰說這位有名的作家沉熟穩重的？他只看到一個性感、俏皮、喜歡嘗試新鮮事物的男人。

Mahasamut 口中的「在船上」反而給了 Tongrak 一個新的思維。

「誰會在意啊。」Tongrak 的小聲咕噥讓男人忍不住輕笑出聲。

「是嗎？」

Mahasamut 輕撫著 Tongrak 手腕的光滑肌膚，看著作家微微一愣，決定不再捉弄他，準備開始進行潛水作業。

自從那天起，他們就沒再發生過任何事。

「喂，你們不上來嗎？下午會很熱的。」

Palm 的聲音不解風情地傳了過來，Mahasamut 忍不住翻了一個白眼，內心升起想換助理的衝動。

他用力將錨往船上拋，力道之大嚇了 Palm 一跳，使他轉過頭疑惑地看向哥哥，但男人只是搖搖頭沒有多說什麼，便扶著 Tongrak 上了船。

Tongrak 一上船，男人就跟著跳了上去。

「那裡很熱的。」Mahasamut 對直接站到船頭的 Tongrak 說。

「不關你的事。」站在船頭的 Tongrak 朝他大喊，才往陰涼處移動身子，開始擦起防曬乳。

他固執的舉動惹得 Mahasamut 發笑。

「Mut 哥，你在笑什麼？」Palm 忍不住好奇地問。

回應他的是 Mahasamut 的一記巴頭。

「哦，Mut 哥！很痛耶！」

男人無視男孩的抱怨，指使他將船推到可以啟動引擎的地方。打從剛才開始，Mahasamut 就一直在偷看那張漂亮的臉龐，為對方的精神狀態感到開心，更喜歡 Tongrak 臉上的微笑。

貓兒伸展身體發出聲音時讓人覺得很可愛，不只如此，貓兒在威脅別人時，表情也一樣可愛。

「轉過身，等下我幫你。」

Tongrak 才剛換上全套潛水設備，並將後方的拉鏈拉到脖上，一回頭就看見已全副武裝的男人，在他腳邊還有兩套 BCD（浮力控制裝置，是幫助潛水員管理浮力的關鍵潛水裝置，可以充氣或放氣幫助潛水員上升或下降，保持在水裡的浮力），一組標著數字，另一組則有深藍色標籤，上頭寫了 Mut 的名字，讓人一眼就看出裝置屬於誰。

他穿上了認為是給自己用的背心，接著戴上了腳蹼，隨即以大跨步的姿勢跳入了海裡。

如果有人認為 Tongrak 是聽話的孩子，那麼他就錯了。

「嘿！」

正在和 Palm 對話的 Mahasamut 聽到水聲連忙轉頭，只見 Tongrak 從水面向他揮了兩次手，戴上潛水鏡後便迅速潛入海裡。

他從來就不是個聽話的孩子。

冰冷的海水包覆住 Tongrak 全身的肌膚，帶來一種透骨涼爽的感覺，耳邊聽到的是自己的氣泡聲，五顏六色的彩魚沿著珊瑚礁游泳，眼前的景象讓某種熟悉感油然而生。

他有多久沒潛水了？上次潛水應該好幾年前了吧？

從前他曾好奇 Connor 為什麼會這麼沉迷於大海，只要有空就會想去潛水，於是 Tongrak 參加了水肺潛水課程並獲得了執照。雖然他下水過好幾次，也感覺水裡世界很有趣，但並沒有像好友那樣上癮。

畢竟去海裡太頻繁可能會讓皮膚和頭髮受損，顧慮到這些，他便減少了次數。

如今又重新回來潛水，卻有了種不一樣的新鮮感。

或許是因為自己又找回了難得的平靜。

沒人可以打擾他，也沒人可以批評他的所作所為，更沒人可以指責他，此刻就只有絕美的景色在他眼前。

也許他只是變老了。

過去他喜歡廣泛交友來隱藏自己的孤獨，討厭獨自一人待在那個大到讓人窒息的房子裡，喜歡和朋友一起出去玩，尋求各式各樣的娛樂；直到開始寫小說時，他才發現自己也能獨處——雖然僅限於寫作的時候——當他停下寫作，就會去尋找他人來排解寂寞。

然而這趟旅行讓他意識到，獨處有時也不見得是壞事。

就像現在這樣，他覺得很平靜。

突然之間，Tongrak 停下了動作，放在身體漂浮在海裡。他感覺一陣空虛，就像每次噪音大作又突然安靜下來那般，直到他回想起自己為什麼之前不再潛水。

太安靜了，太寬廣了，太……

「離我遠一點！」

倏地，他腦海裡響起了爸爸可怕的大吼，父親臉上帶著憤怒，向他扔了酒瓶過來。

他不知道自己什麼時候吐出了呼吸調節器，回過神來時已經被海水嗆到。Tongrak 試圖拍動雙手拯救自己，卻不小心拍到了潛水鏡。

他覺得自己快要死了。

不、不行，他不想死，他不想死！

就在這時，他感覺一股力量拉住了自己，緊接而來的是溫暖的嘴唇對他輸送氧氣，Tongrak 逐漸消失的意識被拉了回來。他瞪大了雙眼，雖然眼前仍然很模糊，但他可以猜到救了自己的人是誰。

Mahasamut。

Tongrak 透過潛水鏡看到一雙焦急的雙眸，那是他從未見過的神情。

那個用手勢安慰自己說沒事的男人將他往水面拉回去。

他活了下來。

雖然他們認識的時間不長，但不知道為什麼，Tongrak

看到 Mahasamut 的眼神就會馬上感到安心。

他低頭望去，海裡的景色依舊和先前一樣寬闊安靜，掌心傳來的溫暖卻讓他不再害怕。

無法向他人吐露的恐懼，當有這個人陪在他身邊時，就會消失無蹤。

Mahasamut 從冰箱裡拿出了一瓶水，走到那個裹著大毛巾的男人面前。Tongrak 認為他可以獨自潛水不靠潛伴，但現在卻全身發抖地歷劫歸來，腳邊已積了一灘水。

Mahasamut 從 Connor 那裡得知 Tongrak 有潛水執照，但這不代表他允許對方在沒有事先通知的情況下獨自跳進海裡。

只是，他現在沒辦法發脾氣。

「喝水吧。」

漂亮的臉抬了起來，反常地沒有生氣也沒有抱怨，乖乖打開了瓶蓋張口就喝。

「你還好嗎？」Mahasamut 在他身邊坐下來。

對方沉默不語。

「新手下水一定要有老手作陪，絕對不能自己一個人下水。」

「嗯。」

「累了嗎？」

「嗯，累了。」Tongrak 轉頭看向浩瀚的大海。

「很安靜。」

「海浪聲這麼大，你聾了嗎？」Tongrak 忍不住轉回來吐槽他。

「我指的是海底很安靜。我很喜歡，你呢？」

他喜歡海浪的聲音，喜歡被冰冷海水包圍，喜歡他所見到的漂亮景象。

「太安靜了。」

男人注意到那張美麗的臉浮現了淡淡孤單神情，很快又消失不見，他沒有繼續追問，只是嘴角勾起一抹弧度。

「你應該讓我下去，會熱鬧一些。」

「你在海底能說話嗎？用點大腦吧。」

Mahasamut 喜歡他回嘴的方式。

「你表現得像是從來沒下過水的樣子。」

Tongrak 別過頭去，自言自語。

「我忘得差不多了。」

「要我教你嗎？學費不貴。」

「多事。」

「嗯，我就多事。」

收到 Tongrak 射來的凌厲眼神時，Mahasamut 大笑出聲，讓 Tongrak 不得不再轉過頭去，在這場爭論落敗下來。

Mahasamut 確實很厚臉皮，即使被人指責多事仍然不為所動，如果他不多事，就不會坐在這裡，讓 Palm 為自己和作家準備午餐送上船。

他不否認自己喜歡這個人精緻的顏值，而且愛看作家在爭論落敗後抱住自己的膝蓋，別過頭去一副拒人於千里之外的模樣。

Mahasamut 曾經無法理解鄰居小朋友們為什麼看到喜歡的偶像會不停誇讚他們長得有多好看，還會以母親身分自居；他不明白為什麼小朋友們明明年紀都還小卻自願當起偶像的長輩，但他們都會說這是心態問題與年紀無關，搞得像他這麼健談的人也無言以對。

但現在，他覺得自己理解了小朋友們的感受。

眼前的男人毫無疑問長相出色，讓人屏息，雖然脾氣有些暴躁又有些任性，卻有著令人意想不到的反差萌特質。

一開始自己只是想扯掉他那張驕傲的面具，但現在他卻想知道關於對方所有的一切，包括他眼底那份明顯的孤獨。

「為什麼你要叫 Mahasamut？這名字很奇怪。」

「為什麼你要叫 Tongrak？這名字也很奇怪。」

男人的反問讓 Tongrak 忍不住回過頭，臉上充滿不悅。

「是我先問的。」

Mahasamut 靠近他，伸手輕拂他濕漉的頭髮，對方並沒有躲開，兩人對上視線，Mahasamut 輕輕地開口：

「也許我們的名字注定要成為一對。」

「你的泰語老師要哭了，這兩個名字怎麼湊成一對？」作家忍不住反駁，而男人只是摸了摸他的頭髮，緩緩更靠近他。

「Tongrak。」男人伸手指著對方，接著又指向自己，「Mahasamut。」

TongrakMahasamut。

Mahasamut 看著那張白皙的臉逐漸染上紅暈，因為他比自己更擅長泰語，這一刻正在吸收自己想表達的意思。

Tongrak 不是名詞，而是動詞「必須愛」之意。

「一派胡言。」Tongrak 的聲音明顯地不穩。

男人又再度重複了一次。

「TongrakMahasamut，你必須愛著海洋，你必須愛我。」

不是愛他看到的海洋，而是愛這個名叫海洋的男人。

男人半開玩笑地說著，原本預期看到對方會因為無法爭辯而咬住下唇的樣子，或是因為惱羞成怒而對自己大吼大叫。他們兩人由導遊關係發展到了床伴，也許對方會反駁他們身分並不匹配，然而他的反應卻大大出乎自己意料。

「你知道嗎？愛情只是人的一種幻想。」柔軟的手掙脫了男人，接著起身用平靜的語氣說：「我餓了。」

語畢，他走到船尾，Palm 正在準備他們的午餐。

「趕緊趁熱吃吧，Rak 哥，你以前吃過新鮮的牡蠣嗎？現抓現吃最鮮美了。」Palm 手裡有著上次 Mahasamut 也抓到過的同款牡蠣，但這次 Tongrak 只是拿著盤子，安靜地坐下吃飯。

Mahasamut 跟在他身後，將作家失常的樣子盡收眼裡。

他知道對方會有這樣的反應都是因為自己，是他講話

太不經大腦了。

　　小男孩心裡抱著一絲希望。希望有一天，那雙眼睛會回頭看自己一眼，會喊著他的名字，會給他一個溫暖的擁抱。他希望得到對方的愛。為此，他願意做任何事……

不惜一切代價。

　　Tongrak 看著螢幕上最後一句話，按下了刪除鍵。這段重寫了很多遍，但不管怎麼寫都不滿意。

　　身為一名作家，他應該要理解每個角色的感受和想法，知道筆下的角色想要什麼。然而他又再度陷入了死胡同。

　　為什麼一個人為了得到另一個人的愛要不惜一切代價？

　　「真好笑。」

　　他的好笑不是指角色，而是自己寫了好幾部關於愛情的小說，卻不懂那個男人的話是什麼意思。

　　TongrakMahasamut。

　　為什麼他會因為這樣毫無關連硬湊的名詞而感到動搖？甚至腦海中還浮現了故事。

　　Tongrak 將手放在額上，移開視線看向窗外，發現外頭下雨了。

今天晚上會下雨，不要開冷氣睡覺。

男人低沉的嗓音在他腦海中響起。

外頭此時大雨滂沱，樹木隨風吹而傾斜，儘管白天看起來絲毫沒有暴風雨的跡象，天氣預報還說今天晚上是晴天。

「真是傷腦筋。」Tongrak 喃喃自語，不知道是在罵自己或是那個能預測天氣的海人。

鈴──

突如其來的手機鈴聲嚇了他一跳，因為很少人能打電話給自己，在他設定成勿擾模式時，連秘書的電話都打不進來。

Khwan……

手機螢幕上的名字讓他有些驚訝，立即接起了電話。

「喂？」

〔Rak，你去哪裡了？我來你家卻沒看到你的人。〕

「我在外地寫小說，怎麼了嗎？」

聲音的來源是他唯一的親姊姊，對方聽起來有些著急，像是發生了什麼事。

電話那端的人陷入沉默，好一會才輕聲開口：

〔爸爸聯絡過你了嗎？〕

「……」

這一次，沉默的人換成了 Tongrak。

他握緊了自己的手機。

「不，他聯絡妳了嗎？」

〔沒有，但 Meena 告訴我，她在學校看到了外公。〕

當姊姊提到 Tongrak 唯一的外甥女時，Tongrak 的臉色有些發白。

「她會不會看錯了？」

〔他爲什麼要這麼做？爲什麼他不聯絡我或你？如果他真的要見 Meena，我該怎麼辦？〕

「Khwan，冷靜。」

當姊姊開始焦慮時，Tongrak 大聲地回話，電話那端安靜了下來，而 Tongrak 則小喘著氣。

他很清楚姊姊容易動搖，然而父親不僅僅給了他姊姊這樣的感覺，他自己也受到了影響。

「如果爸爸聯絡妳的話，請他打給我。如果他要錢就找我，不要讓他去找 Meena ！」

〔我要打電話給媽媽嗎？〕

「她會在乎嗎？」

〔……〕

電話那端陷入沉默，如果他沒聽錯的話，姊姊應該是哭了。

Tongrak 舉起手揉了揉自己的額頭，輕聲說：

「妳不用想太多，要是妳都著急了，Meena 該怎麼辦？記得告訴孩子，如果再看到外公就盡量跑遠一點，不要接近他，不要去跟他說話，打電話給我或妳，好嗎？」

〔嗯，OKOK。〕

再安慰了姊姊一會後，兩人便結束了通話。

「唉。」作家長嘆了口氣，握緊手機，身子垮了下來。

如果 Meena 是他們的軟肋，那麼他父親就是他和他姊姊的惡夢。

那個男人唯一的意義就是讓他們誕生在這個世界上，但他卻想要從這個家裡得到更多，就像隻永不饜足的野獸，一旦得到他想要的東西就會消失，直到自己以為可以像平常人一樣生活後，惡夢又會再度降臨。

Tongrak……Mahasamut 覺得他的名字很奇怪，但命名原因更奇怪。

母親之所以幫他取了這個名字，是因為想要那個男人愛她，不僅僅是一種被愛的渴望，更是一種「必須」。而這樣求而不得的渴望卻毀了他們。

他不懂為什麼人們會如此渴望愛情。

愛情只是人的一種幻想。

他走回了電腦桌前，用手機發了一則訊息，接著面無表情地繼續工作。

小說裡的愛情比現實還要來得美麗。

Mahasamut 衝進屋裡，用力將門關上，大掌揉揉濕漉漉的頭髮再甩了甩，弄得室內都是水滴。

「該死，下得真不是時候！」

他進屋不是因為躲雨，而是想趕在暴風雨來之前固

定好所有器材，由於還有另一組客人要出發前往島的另一邊，所以在他將 Tongrak 送回度假村後，就接著趕回去固定船隻和設備。

儘管他更在意那個已經返回度假村的人。

Tongrak 的失常模樣在心頭揮之不去，包括他今天所說的話，還有 Khom 告訴 Mahasamut 的訊息：他有問題的部分是在感情上，不是工作。

就在這個時候，手機傳來了提示音，他點開了訊息。

『我明天要寫小說。』

Mahasamut 嘆了口氣，將手機丟到一邊，走進了浴室。

他才剛向 Tongrak 靠近了一步，對方就往後退了三步。

男人搖搖頭，打開蓮蓬頭任由冷水淋下，腦海又浮現對方的表情，意識到 Tongrak 已經嚴重影響了自己的情緒。

他不是沒和度假村的客人睡過，卻從來沒有像現在這樣擔心過一個人。儘管錢和性都得到了，但內心仍然有壓抑不住的擔心。

Mut……Mut！

光是想到對方那誘人的表情和叫著自己名字的聲音，Mahasamut 就立刻感到下腹一陣騷動。他暗自咒罵自己，畢竟像他這樣的年紀正值性慾衝動期，但由於一直努力工作賺錢支撐生活，沒有多餘心力去考慮感情事，過去之所以會和別人上床，也都是對方主動送上門，他甚至不需要付出一點心思。

但這個星期以來，他卻因為那個漂亮的男人好幾次都

靠自己手動解決。

　　男人嘆了口氣，抓住自己發硬的昂挺，閉上了雙眼，想起 Tongrak 的柔軟臉頰、白皙光滑的脖頸，還有性感修長的身體，只要手往下壓就能感受到的細膩觸感，對方的嫵媚呻吟彷彿在耳邊繚繞不去。

　　該死的！

　　Mahasamut 的手越動越快，汗水從額頭上冒了出來，很快就被冷水沖走。

　　Mahasamut 快點⋯⋯上我！

　　他咬緊了牙關，手上的動作越來越快，直到白濁的液體倏然射出才停了下來。

　　大口大口喘著粗氣，Mahasamut 低頭看著下半身，再嘆了口氣。

　　他⋯⋯已經墜入了名為 Tongrak 的愛河了。

Episode 9

弄假成真

對 Mahasamut 來說，海洋就如同他第二個家，打從他有記憶以來，就一直與大海為伍。他喜歡潛入乾淨的水域裡，喜歡海中美麗的珊瑚礁，喜歡海底的寧靜氛圍，以及充斥耳邊的海聲與氧氣瓶發出的聲音。

媽媽說不該給他取這個名字，因為他太愛海洋，這也成為父子吵架的導火線。

他放空思緒讓自己與魚兒一起悠游，也沒忘記撿起被卡在珊瑚礁上的垃圾。

「喔，天啊 Mut 哥，你在海裡多久了？沒注意自己的氧氣還夠不夠嗎？」

Mahasamut 才剛露出水面就立刻聽到 Palm 的大呼小叫。他翻了個白眼，游到船邊將手上的垃圾交給船員。

「足夠到能打量你了。」

「真野蠻！」

Mahasamut 沒有多加理會 Palm，逕自浮上水面、脫掉身上的裝備。「我的手機呢？」他一卸下裝備，第一句話就問。

「時不時都要盯著手機耶。」Palm 忍不住調侃。

見他仍不交出自己的手機，Mahasamut 對他露出一抹燦爛的微笑。

「如果我沒有工作，你也就沒有工作，然後也不會有薪水……」

「你的手機來了，Mut 哥。」Palm 連忙將手機和毛巾交給了他，讓 Mahasamut 能擦乾自己的頭髮，接著 Palm 開

始幫忙收拾對方脫下的裝備。

Palm 認真勤奮的樣子惹得男人輕笑出聲，看回自己的手機。

說真的，他只等一個人傳訊息來。

『明天不用來，我正在忙⋯⋯』

「他是複製貼上嗎？」男人忍不住自言自語，指尖滑到上一則訊息，和今天傳的沒兩樣。如同 Palm 所說的，他十分在意自己的手機，因為他在等 Tongrak 的訊息。

他們已經三天沒有面對面說話了。

如果是別人的話，早就笑得合不攏嘴，這個工作既不必付出勞力還能收到全額工資，但別人並不包括 Mahasamut。第一天因為對方的表現很奇怪，所以 Mahasamut 便想給他空間；第二天對方的情況明顯沒有改變；而第三天他注意到一件事。

他想起對方好像即將返回曼谷。

「Palm，回岸邊。」

「是的，Mut 哥，我正想說要是再不回岸上就不能去下一份工作了。」

Mahasamut 連忙脫掉身上的潛水衣，坐在駕駛位置上，將船開回了岸邊，希望能與那位只傳訊息的主人取得聯絡。

他不想讓 Tongrak 有回曼谷的想法。

「你要帶我去哪裡？放開！」

夕陽西下之際，整個天空被染成了深紫色，Tongrak 對那個拖自己到停車場的野蠻人大喊著。

他拚命掙扎，命令對方鬆手，然而男人並不打算就此罷休。對方闖進了自己的房間，強迫他關掉筆電，接著再用蠻力將他拉了出去。

「不放。」Mahasamut 轉過身一笑，重複相同的答案。

「我告訴過你我必須工作。」

「我也說過了我不放手。」

他怎麼忘記了這混帳有多流氓？

Tongrak 一直不停掙扎，直到自己氣喘吁吁，一路被拉到了那輛熟悉的機車前。

「上車。」

Tongrak 不等男人說完轉身就想逃，又被 Mahasamut 一把抓了回來。

「該死的你這個瘋子！」

他拉扯自己的力道之大，讓 Tongrak 整個人跌進了他的懷裡。Tongrak 只能用著憤怒的大眼看向那個高大健壯的男人。

他眼神裡的怒氣雖然會嚇退不少人，但不包含 Mahasamut。

「眼睛瞪這麼大，小心眼珠子掉出來。」

Tongrak 內心的怒火越燒越旺，緊咬下唇。

「你就上車吧。」Mahasamut 不由得放輕了語調。

「我告訴過你我不去，我要工作。」

「那你的工作有任何進展了嗎？」

此話一出，Mahasamut 就如同這三天一直待在 Tongrak 的房間裡一樣，清楚知道他的工作根本沒有什麼進展。

Mahasamut 注意到 Tongrak 明顯一愣，也猜到了答案。

「你遇到了瓶頸？」

Tongrak 的怒氣再度被挑起，要不是對方抓住自己的手變成十指交扣，他肯定會踢倒放在一旁的機車。

「換個環境吧，我保證在那之後就讓你回去工作。」

Tongrak 猶豫了一會，開口問：「如果我拒絕呢？」

「那我們就來玩大眼瞪小眼的遊戲直到早上，正好我明天很閒。」

原本 Tongrak 打算接受挑戰，但 Mahasamut 那雙正經八百的眼神像是在告訴自己，他已經準備好在這裡被蚊子叮一整晚。意識到繼續吵下去只是徒勞無功，盯著他看也是浪費時間，於是 Tongrak 甩開對方的手，不情願地爬上了機車後座。

如同他所說的，換個環境而已，在那之後他就能繼續工作了。

這是他同意對方的唯一理由。

Tongrak 雖然是這麼想，還是忍不住用力拍了 Mahasamut 的背。

「別打我啦。」

「幹嘛,很痛嗎?」

「不是,我只擔心你的手會受傷,你得靠手工作啊。」

Tongrak 原本揚起的手在聽到他的話後放了下來。他咬住下唇,沒想過 Mahasamut 居然會這麼細心體貼。

他只是關心自己的手,沒有其他的意思。Tongrak 不再開口,小心翼翼地抓住男人的上衣,讓機車前往目的地。

入夜的大海彷彿一望無際的黑色深淵,讓人心生畏懼,此時如果不是有一隻大手牢牢牽住了他,Tongrak 可能永遠不會走上這片只有稀疏路燈的海灘。

他們越走越遠,在遠離了度假村的燈光後,前方的沙灘越來越荒涼。

「我們要去哪裡?」作家開始感到害怕。

他此刻才意識到自己認識 Mahasamut 才一個多星期,為什麼已能如此信任他,任由他帶著自己來到這人煙罕至之地。

「要再走遠一點,如果走得不夠遠,就看不到了。」走在他前面的 Mahasamut 回答。

Tongrak 低頭看著兩人的手。他應該要掙脫的,卻發現自己做不到。

雙眼不經意看向大海,觸目所及盡是一片漆黑,只有海浪拍打岸邊的聲音。

這實在是……太可怕了。

「就在這裡。」

Tongrak 定睛一看，眼前烏漆抹黑。他輕皺眉頭，正想開口罵人，身邊的男人拿出了一塊布。

「來吧。」Mahasamut 鋪好布後率先坐了下來，拍了拍身邊的空位示意 Tongrak，「相信我一次吧，我不是在捉弄你。」

Tongrak 猶豫了一會，最終坐了下來。

「嘿！」他才剛坐下就被一股力道拉著往後仰倒，隨即入目的景象卻讓他吞下了原本打算出口的抱怨。

夜晚的海可能很可怕，但他從不知道夜空可以這麼美。

除了在紀錄片上看到夜空之外，Tongrak 從未身歷其境。濃黑的夜幕上布滿了許多星星，點點星光就像點綴在黑幕上的鑽石那般。

「你還不相信我會帶你看好東西嗎？」

Tongrak 原本想開口反駁，耳邊傳來的醇厚嗓音卻讓他心跳加速。他轉過身對上 Mahasamut 銳利的眼神，那雙眼睛有如夜星般閃閃發亮。

Mahasamut 露出一抹笑意，將手伸到了 Tongrak 脖子下方，把他拉進自己懷裡。

「把頭靠在我的手臂上吧，這樣脖子就不會太累了。」

環住他的不只是男人溫暖的懷抱，伴隨著溫柔的嗓音，男人身上清新的氣味與海水的氣息，還有不知名的香味充斥著 Tongrak 的鼻腔，讓他內心一陣悸動。

　　或許悸動的原因並不是外在的一切，只是因為這個男人。

　　「我從來沒有親眼看過星星。」

　　「從來沒看過嗎？太可惜了。」

　　「是啊。」Mahasamut 看起來有點不敢置信，他的表情讓 Tongrak 忍不住輕笑出聲。「你看起來一副不相信我的樣子。」

　　深邃的雙眸凝視著，大掌輕撫上臉頰，指腹滑過 Tongrak 柔軟的肌膚。

　　「你笑起來的樣子很好看。」

　　「……」

　　Tongrak 看著那個突然稱讚自己的男人一愣，試著做了些反抗，無視自己發熱的雙頰。

　　「你只會講這些嗎？我已經聽膩了。」

　　Mahasamut 臉上的笑越擴越大。

　　「嗯，我書念的不多，只能講出這些。」

　　「那你為什麼只講得出這些？」

　　「因為是肺腑之言，你笑起來真的很好看。」

　　Tongrak 不是沒有被恭維過，但不知道為什麼這次 Mahasamut 的話卻讓他感到不知所措，下意識地別過頭。

　　男人也沒繼續說話，就只是收緊了手抱住他。

　　兩人靜靜地看著星空，沒有對話，耳邊聽到的是海風的呼嘯，心裡充盈的是溫暖的觸感。

　　「你知道嗎？」Tongrak 突然低聲開口，「當我的朋友

談論和家人一起旅行、露營、觀星、潛水時，我會覺得很嫉妒。」

他不知道自己為什麼會想分享這些回憶，等回過神來，已經說出口了。

「我從來沒有這樣的回憶。」

他還小的時候，只記得母親傷心落淚的表情，和那個除了錢以外什麼都不在乎的父親，而姊姊的愛情則是未婚懷孕，始亂終棄。

「我的家庭和別人不一樣，媽媽花錢買男人，爸爸靠女人給的錢過活。我媽很迷戀那個男人，她幫我姊姊取名叫Khongkhwan，意思是他送的『禮物』，而她之所以會生下我、幫我取這個名字，就是想告訴那個男人，必須要回頭愛她⋯⋯因為這種扭曲的關係，我從來沒有跟家人一起出遊過。」

他親眼目睹一個一生都在努力追求愛情的女人，卻從未迎來美好的結局。在 Tongrak 的內心深處，即使真心希望他的朋友能夠幸福，但也同時認為總有一天他們都會分手。

男人轉過身，與他對上視線，專心地聽著他說的每一句話。

「我沒事告訴你這麼多幹嘛？」

Mahasamut 的表情是如此深不可測，讓 Tongrak 逃避了他的注視。

他一定覺得自己很可憐。

「不要露出這樣的笑容。」男人大手輕撫著他的臉頰。

「你不是說我笑起來很好看？」Tongrak 試圖壓抑聲音的顫抖，原以為已深埋結痂的傷口，其實可能是永遠都治不好的膿。

Mahasamut 沒有回話，Tongrak 看不懂他的表情，只看到他離自己更近了。

他感覺內心很脆弱，需要別人的溫暖，而 Mahasamut 就在這裡。就像過去一樣，Tongrak 閉上了眼，任由男人為所欲為。

這比他自己一個人渡過寒冷的夜晚來得好。

原本以為男人會吻上自己的唇，最終只等到在額上落下的一吻。

Tongrak 睜開眼睛，Mahasamut 的雙眼近在咫尺。

「你說過，愛情是一種幻想。」

「是的，就只是一種幻想。」他同意地點點頭，儘管他的心漏跳半拍。

Mahasamut 再度微笑，用著溫柔的嗓音開口：

「正好，我是個幻想男孩。」

「……」

Tongrak 忍不住全身顫抖，他不喜歡這樣的感覺。這是他這輩子都不知道也不想知道的情緒，所以他決定逃跑。然而男人強壯的手臂卻緊緊抱住他，似乎知道他打算逃避。

「要不要試試看呢？」

「不。」

「僅限你在這裡的時候。」

「⋯⋯不。」

他的聲音越來越小。

Tongrak 從沒想過要戀愛,也不曾渴望過,但在他內心深處卻有另一道聲音⋯⋯他真的一點都不羨慕那些戀愛中的朋友嗎?

換個角度想,他為什麼又要付錢收買一個男人呢?

是的,這一切都是他用錢買回來的。

Tongrak 被另一個想法給說服,揚起下巴,用一種高高在上的眼神看著 Mahasamut。

「你想讓我花錢買愛情嗎?」

他展現出一副他們就是買賣雙方的交易關係,一旦這趟旅行結束,關係也會跟著畫下句點。

Mahasamut 沒有回應,Tongrak 露出諷刺的笑容,試著掙脫對方的懷抱。

「那就先試著買下我吧。」無恥的男人大言不慚地開口,「要不要試試看?」

銳利的雙眼緊盯著他,身體靠得更近了,Tongrak 感覺自己無法逃脫。

「我為什麼要試?」

男人輕笑出聲,在他頰上落下一吻,靠近了他耳邊,開口說:

「還是你害怕啊?」

Tongrak 咬住下唇,他有什麼好害怕的?一切都像往

常一樣，只不過這個男人的身分由一開始的導遊變成了床伴，接下來的幾天也不會有什麼太大的變化，更重要的是，他也滿意這樣的安排。

「要多少錢？」他決定接受挑戰。

Mahasamut 的嘴唇擦過 Tongrak 的臉頰，然後用鼻尖輕蹭著，讓 Tongrak 忍不住呼吸一滯。

「隨便你開價。」

「……」

兩人視線相交，一人的眼神充滿對未知事物的恐懼，另一人的眼神則相當認真嚴肅。Tongrak 翻了個身，雙手托住那個高大男人的臉，拉近了兩人的距離。

「那就做好你的工作。」

這樣的熟悉感讓他感到安心。

「這是你自己說的。」

Mahasamut 吻住了懷中人兒的朱唇，大手扣住 Tongrak 後頸，溫熱的舌尖舔舐著他的薄唇，作家鬆開了自己的雙手，環上 Mahasamut 的脖子。

也許是因為他們正在無人、滿布星光的沙灘放肆擁吻，Tongrak 對這個吻特別有反應。他張嘴迎接男人溫暖濕熱的觸感，聽到了 Mahasamut 低低的吼聲，自己也不由自主地逸出呻吟。

交纏的熱吻沒有停歇，反而有越來越激烈的傾向，儘管 Tongrak 趴在他身上，卻覺得自己像是被追著跑，不管怎麼反擊，對方的攻勢都比自己預期還要狂野，讓 Tongrak

忍不住全身顫抖。

他甚至想將別的東西放進嘴裡。

此時此刻，雙方的下半身都有了騷動。

「啊……」

當男人抬起膝蓋摩擦 Tongrak 的敏感部位時，他忍不住吟哦出聲，下半身的堅挺部位更往男人靠近。

原本摟住他臀部的大手此時探進了 Tongrak 的上衣裡，粗糙的手心由下往上滑過他的裸背，自始至終，Mahasamut 都沒有鬆開不停索吻的雙唇。

「等等，我想舔你的胸口。」

Mahasamut 拉起 Tongrak 的上衣讓他咬住衣服下襬。

Tongrak 本來不想答應，但因為期待對方張口含住自己的乳尖，便毫無抗拒聽從安排。

「啊……」

Mahasamut 僅是在他胸前的突起吹了一口熱氣，Tongrak 就忍不住一震，原本摟住男人脖子的雙手，現在抓住了寬闊的肩膀。

「你想要我舔嗎？」

Mahasamut 看著他已然濕潤的雙眼，低頭吻了吻他的臉頰，輕舔起他的下巴。

「怎麼樣？」

男人修長的指尖繞著胸口卻刻意不去觸碰硬挺的乳尖，臀部正與他緩緩摩擦的 Tongrak 用力點點頭，做出了回答。

他想被舔舐，他想被吸吮，他想被用力地咬。

在得到滿意的答案後，Mahasamut 立即用指甲掐住了Tongrak 的乳尖。

看著懷中的人在自己面前顫抖，Mahasamut 感覺下半身緊繃得快要爆炸，即使如此他仍不急不躁。

「啊……」

Tongrak 感覺男人輕舔著自己的乳尖，忍不住仰頭呻吟不已，胸前的花蕊被唾液浸濕，他的雙手緊抓住Mahasamut 濃密的頭髮，像是想要求更多那般，而對方也沒讓他失望，飢渴似地在他胸前留下咬痕，大手拉下了Tongrak 的短褲，修長的手指探入了後方的狹窄甬道。

Mahasamut 知道 Tongrak 很性感，沒想到他扭起腰來更加性感。

他不想再等下去了。

Mahasamut 將他翻過身，自己扯下褲子扔到一邊，接著分開他的雙腿，Tongrak 後方的入口正因自己手指的動作而開合收縮著。

男人從牛仔褲口袋拿出了一包潤滑劑並用嘴巴撕開，倒進了後方的入口，Tongrak 明顯一顫，雙頰嫣紅如火。

「啊……啊……」

Mahasamut 將手指更往密道裡頭深入，感受屬於Tongrak 的柔軟，每當他更往前一吋，就能聽到對方的陣陣呻吟，原本被咬住的衣服下襬此時也鬆開了。

Mahasamut 俯身吻住 Tongrak，指尖彎曲旋轉著，緊接

著用力撞擊。

「雖然我很喜歡你的聲音，但今天不可以。」

Mahasamut 低低地開口，感覺到對方哆嗦地張嘴卻發不了聲，他低頭再度吻住了甜唇。

現在應該不會有人在海邊散步，但不怕一萬只怕萬一。

「那你就……你就……快一點！」Tongrak 大口喘著粗氣，將手伸向 Mahasamut 的下半身。

「冷靜。」

儘管 Tongrak 脖子上的血管因為激動的情緒而浮現一片，Mahasamut 仍然在他的臉頰上密密親吻，像是安慰他一般，Tongrak 伸出舌尖舔濕了唇，見 Mahasamut 遲遲沒有行動，失去耐心的他翻了個身，將男人壓在下方。

Tongrak 迫不及待地抓起 Mahasamut 的滾燙分身，鮮紅的舌尖飢渴地舔舐著自己的嘴唇。

他想要彎下腰去舔男人，但更想要男人的火熱進入自己體內。

「保險套在哪裡？」

「你怎麼知道我有帶？」

他帶了潤滑劑，怎麼可能不帶保險套？Tongrak 抓住了他遞來的保險套將之撕開，手扶著 Mahasamut 的硬挺，戴上了保險套。

Mahasamut 喜歡看對方那氣喘吁吁、表情極度緊張的樣子。

「你要是表現好的話，下次我就用嘴巴。」Tongrak 邊

說邊將保險套往柱身下滑動。

「就算我表現不好，我還是想要你用嘴幫我。」

「那就看你的表現了。」

Tongrak 俯身吻住了男人的唇，感受對方的手指再次探入自己體內，耳邊傳來靡靡水聲，他張開了雙腿，迎上那讓他快要發瘋的觸感。

他喜歡 Mahasamut 用手指抽插他後穴的感覺，不論是用力插入或是拔出，都像是要撕裂他一般。

「把臀部抬高。」

男人的大手用力拍了他的屁股，接著緊緊捏住。

不用對方更詳細指示，Tongrak 抬高臀部後，緩緩往下，讓 Mahasamut 早已昂挺的炙熱往自己後方的甬道前進。

他因為強烈的快感而仰頭，瞪大了雙眼，汗水從額頭上滑落，張開嘴發出了無聲呻吟，當燙熱的柱身一點一點進入自己時，雖然有點不太舒服，但感覺卻很美好。

Tongrak 甚至不知道 Mahasamut 什麼時候抓住了自己的手，只知道自己已經習慣了對方灼熱的尺寸，下腹湧來的快感越來越強。

「啊……啊……」

他試圖保持安靜，但發現自己做不到。

Mahasamut 將臉埋進了他的頸項，Tongrak 忍不住全身發抖，他越是試圖壓抑呻吟就越讓 Mahasamut 瘋狂，他突然猛一個抽出，再迅速用力插入，大手壓在白皙肚子上。

「呃……啊啊……」

Tongrak 覺得意識越來越遙遠，全身上下止不住地震顫著，感覺肚子像是有一團燃燒的火焰。他單手支撐在沙灘上，緊緊抓住。

「不、不要按那裡……」

「你喜歡。」

「不……啊……」

當大手緊按住自己的腹部時，Tongrak 的聲音便抖得更劇烈，後庭也收縮得更緊，只能無助地攀著男人。

「呃……啊……Mahasamut……啊……」

他拚命壓抑聲音，用力咬住了 Mahasamut 的脖子，然而男人並不在意這樣的疼痛，伸出大掌握住懷中人兒前方的分身。

交合的地方發出了刺激的水聲，但在那一刻沒人在意，只顧得上貪婪地汲取對方的體溫。

Tongrak 美麗的臉龐因為激動而扭曲，臀部就像剛出生的小鹿一般顫抖，Mahasamut 的舌尖沿著白皙的頸項舔去了他的薄汗，伴隨著呻吟聲越來越大，男人不得不伸出一根手指，逗弄著他的舌頭。

「啊……唔……」

Tongrak 咬緊了他的手指，感覺對方彎曲手指摩擦著自己的上顎，男人加速了下方的抽插速度，讓他再也忍不住吟叫：

「哈……哈……啊……等、等……要……要去了……」

下一秒攀上高潮的 Tongrak 在 Mahasamut 的衣服上噴

濺出白濁的液體，但後者顯然不打算就此放過他，再度挺腰將自己的分身深深地埋入對方的體內，同時印證了自己的想法。

Tongrak 喜歡在達到高潮後繼續被填滿，實在是太淫蕩了。

這個想法讓男人如同野獸般加速了自己的動作，銳利的目光變得凶狠，手臂的肌肉浮現青筋，緊緊扣住纖細的腰枝，將他的臀部壓得更緊。

「等等……我才剛射……啊……」

Mahasamut 見 Tongrak 已經精疲力盡，於是將他翻了個身壓在自己身下，拉起雙腿放在肩上，挺身再度進入他後方的甬道。

「我……啊……還沒……」

男人低下了頭，輕咬柔軟的耳垂，銳利的眼神看著 Tongrak，「下次……你會用嘴幫我……」

「哈……啊……你確定……你表現……哈啊……夠好了嗎……」驕傲的男人抬起下巴，即使聲音依舊顫抖，但仍然嘴硬。

「看你的臉就知道了。」Mahasamut 親吻他的雙唇，深情的眼神看著他。

Tongrak 的身上布滿汗水和混濁的液體，腫脹的乳頭讓他看起來無比性感，而他的表情早就說明了一切。

看來，他真的對這個男人上癮了。

Episode 10

冷水與溫暖的身體

「不、不要逃跑……」

「哈啊、哈啊、啊……」

Tongrak 曾經認為這個男人就跟個怪物一樣，事實證明他的想法是正確的。

他高潮了多少次？

他回答不了這個問題。大腦對剛才發生的事情感到困惑，因為每當 Mahasamut 進到他體內時，Tongrak 只能呻吟和顫抖，不知道自己什麼時候被翻了過去又再度變成趴著的狀態，又是什麼時候那雙火燙的大掌將他的手腕鎖在自己頭上不讓他逃跑？

Mahasamut 抬起他的臀部，接著挺身直驅體內最深處。

Tongrak 好久沒有在性愛的時候落淚了。

他不是因為身體的疼痛，而是因為內心的緊張、壓力才會落下淚水，Tongrak 無法用言語形容這樣的感覺。

轉過頭看向身後那個滿頭大汗的男人，雖然不想承認，但他確實十分帥氣俊朗，Mahasamut 的身體很強壯，激烈的性愛讓他身上也布滿汗水，胸前的抓痕清晰可見，讓他看起來更加的性感誘惑。

「哈……啊……」

男人修長的手指再度探入他的口腔裡與柔軟的舌頭玩耍，直到 Tongrak 忍不住逸出呻吟。

他感覺自己已經快要失聲，下半身嚴重顫抖，後方男人猛烈撞擊他的身體，令他的腦袋一片空白，全身止不住失控，眼眶盈滿淚水，視線變得有些模糊。

他不是才剛高潮嗎？為什麼立刻又有了精力？

這是作家腦海中唯一浮現的問句。

纖細的身體不知道在什麼時候趴了下來大口喘著氣，有如剛從水裡浮上來的人，腦海只剩海浪的聲音與 Mahasamut 的粗重喘氣聲。

這是怎麼一回事？只要 Mahasamut 的手臂環住自己，Tongrak 就會止不住的震顫。

Mahasamut 也同時感受到作家的敏感和不對勁，壓抑想低咒的聲音，抱緊了 Tongrak 的身體，調整紊亂的呼吸，大手輕撫懷中人的肚子。

Tongrak 明顯一愣，努力忍住想逸出口的呻吟，男人的動作讓他近乎瘋狂。Mahasamut 等到他的身體停止顫抖後，才慢慢抽出自己的分身。

「再一次。」

Tongrak 聞言明顯一縮，壓下自己的叫聲，這個情況讓他快要受不了。

男人取下了保險套，銳利的雙眼始終注視著那個美麗又潮濕的洞口，看到洞口因為收縮而越變越小。他想將手指伸進去，繼續擴張那個被潤滑劑和液體浸濕的小洞。

「夠了！」

Tongrak 伸手遮住了自己的後方，讓 Mahasamut 不得不移動視線看向那個滿臉通紅的作家。

「你要看到什麼時候？」

「誰叫你好看到讓我目不轉睛。」

Mahasamut 摸了摸他的臀部，而 Tongrak 只能生著悶氣。

「不，夠了，我累了。」

Mahasamut 看著面前的人兒，印象中的他總是自命不凡又高傲無禮，但此時此刻的卻像個孩子一樣撒著嬌，可愛到他忍不住伸手輕撫那雙紅腫的軟唇。

「你累了嗎？」

「累了。」

男人再也克制不住地彎腰給了他一個吻。

「你吻我幹嘛？」Tongrak 大喊。

「誰叫你的嘴巴那麼可愛。」

看著他將手放在自己的朱唇上，Mahasamut 輕笑出聲。

「不要笑了，我全身髒兮兮的。」Tongrak 低頭看了看身上的髒衣服，眼裡有著指責，「都是你害的。」

這一切全都是他的錯。

「那我帶你去洗澡。」男人眼神閃過一抹狡猾，接著將他抱起身，輕鬆自在的樣子彷彿懷中的人輕如羽毛。

Tongrak 不由自主雙手環住他的頸項，擔心自己會跌下去。「你在搞什麼？ Mahasamut，放我下來！」

「帶你去洗澡啊。」

「我說讓你放我下來，Mahasamut！」當意識到對方要帶他去哪裡時，Tongrak 試圖推開男人並大喊，因為兩人正往海邊的方向而去。

「真的要讓我放手嗎？」

現在海水已經漲到了小腿高度，讓 Tongrak 不得不緊

緊抱住 Mahasamut，擔心地往下看。

要是 Mahasamut 放手的話，他肯定就跌入海裡了。

一思及此，Tongrak 忍不住憤怒地看他。

「捉弄我很有趣嗎？」

「如果不有趣，我幹嘛捉弄你？」

Tongrak 簡直想一把掐死這個人。

現在海水已經來到了 Mahasamut 的腰際，浸濕了 Tongrak 的背部，他連忙急喊：「你要是放手的話，我會很生氣喔。」

跟他相處的這些天以來，Tongrak 親眼見識過他有多大膽，也知道他說到做到，於是更貼緊了 Mahasamut 的胸膛，一臉警戒地看著海水。

「那我就讓你好好站著吧。」

原本 Mahasamut 想再看看對方會露出什麼樣的表情，但他沒忘記自己剛才讓對方有多辛苦，男人鬆開了手，扶住那個快要沒有力氣的人，讓他站在海裡。

腳板才剛接觸到柔軟的沙地，Tongrak 就一個踉蹌跌入了 Mahasamut 懷裡，感覺對方的手環住了自己的腰。

儘管晚上的海水很冰冷，但那雙手掌的暖意從背部蔓延到全身，Tongrak 緩緩抬起頭，看進 Mahasamut 深邃的雙眼。

當他用這種眼神看著自己時，Tongrak 就覺得自己全身發軟。

事實證明他無法抵抗 Mahasamut 這個男人。

在入夜的星空之下，男人漆黑的雙眸變得更加濃郁，深深吸引著 Tongrak 的目光，他下意識閉上了雙眼，微微張嘴等著隨之而來的柔軟觸感。

「！！！」

就在這個時候，不知道是哪來的大浪湧了上來，朝兩人身上潑了過去，Tongrak 驚訝地睜開眼，雙手連忙擦了擦濕臉，旖旎氣氛一瞬間蕩然無存。

「該死！海水流進我的眼睛了！」

「哈哈哈哈。」

Mahasamut 面對他的狼狽非但沒有出手幫忙，反而還笑得很開心。

「有什麼好笑的！我全身都濕透了！」Tongrak 憤怒地推開了對方。

「我也一樣啊。」

Tongrak 勉強睜開雙眼，看著面前的男人隨意用雙手梳理自己的頭髮，看起來⋯⋯很性感。

當他用手指梳理濕髮時，就算只是個簡單的動作，手臂的線條也讓 Tongrak 的目光流連忘返。

他明明見過比 Mahasamut 更有魅力、更帥氣的男人，為什麼現在卻難以移開視線？

Rak 你怎麼了？

他在內心忍不住反問自己，然而還沒有找到答案時，對方冰涼的大掌撫上了自己的臉頰，撥去濕漉的髮絲，嚇了他好大一跳。

「感覺神清氣爽了嗎？」

「……」

「也洗乾淨了不是嗎？」

「……」

「晚上的大海不錯吧？」

「……」

「Tongrak 先生？」

Tongrak 沒有回應，只是站在原處一動也不動，Mahasamut 緩緩朝他走近，臉上掛著笑容。

「你打算讓我繼續唱獨角戲嗎？」

「……」

他仍然緊咬著雙唇不說話。

「你要是再不說話，我就要吻你了。」

Mahasamut 那一臉等對方同意的樣子讓 Tongrak 忍不住反問：「那你為什麼要吻我？」

「因為我是你的男人。」

Tongrak 立刻明白了他的意思。因為自己開口說要買下他，所以他就是自己的男人。但 Tongrak 並沒有因為這個答案而鬆懈，還是撥開了他放在自己臉上的手。

然而 Mahasamut 又將作家的臉轉了過來，他能感覺 Tongrak 渾身顫抖，似乎不是因為海水冰冷所引起。

「我想吻你。」

Tongrak 知道自己無法逃脫，只能感受溫暖氣息噴灑在臉上，銳利的雙眼越靠越近，隨之而來的是唇上的柔軟。

Mahasamut 又吻了他。

柔軟的觸感碾壓著雙唇，海水的鹹味在舌尖蔓延，卻感覺有些甜蜜。

他內心一陣溫暖，夜晚的大海似乎也不再那麼可怕。

不只是 Mahasamut 想親吻 Tongrak，Tongrak 也有同樣的感受。

燦爛星空之下，海浪有節奏地拍打海岸，兩人被島嶼的氣氛親密籠罩，距離似乎也拉近了不少。

Tongrak 站在浴室裡看著鏡子裡自己的倒影，此時此刻的他正在責問自己。

為什麼要讓 Mahasamut 到他房間？

都是那個男人害自己現在臉這麼紅，都是他害自己被當下的氣氛所影響，做出不符合個性的事。

邀請別人進他房間不是頭一遭，但通常會發生些什麼事，不單純只是蓋棉被純睡覺。

他們兩人才剛結束一場激烈的性愛，Tongrak 此時全身痠痛，只想好好休息。既然他想休息，為什麼還要讓 Mahasamut 進他房間？

除了親朋好友之外，他不會單純只擁抱別人而不發生什麼事。

但 Mahasamut 卻讓 Tongrak 首開了先例。

通常他會穿一件睡衣就上床睡覺，但在房間裡有另一個人的情況之下顯得太單薄，若穿得很好看的話，似乎又太超過。

Mahasamut 身為一個多次喊他起床的人，自然知道他平常都穿什麼睡覺。他不想穿太正式怕被嘲笑，但又不想穿的跟平常一樣，怕被挑釁，於是他在浴室裡來回踱著步。

Tongrak 緊咬下唇，再度看向鏡中的倒影。

為什麼他的臉會這麼紅？

「算了。」

最終他決定抓起一件內褲，穿上了睡衣，深吸了一口氣後走出浴室。

「Mahasamut？」

房間裡空無一人。Tongrak 的心沉了下來，目光不經意看到陽台有燈光在閃爍，立刻衝向前去打開陽台門。

「Mahasamut！」他再度喊出這個名字。

內心很清楚心裡的情緒是害怕，當然男人也知道這件事。

「嗯，明天不要忘記了。」Mahasamut 銳利的雙眼看向 Tongrak，正在講電話的他從頭到尾打量了對方一眼。

他的視線讓 Tongrak 感覺像是全身一下子赤裸，忍不住想要舉起手做出遮擋動作，但最終壓了下來。

「就這樣吧。」Mahasamut 掛斷電話後，視線停留在 Tongrak 鎖骨附近。

「你在看什麼？」

「痛嗎？」男人反問，伸出手看似要觸碰他，Tongrak

順著方向往下看，發現自己胸前有明顯的咬痕。

「如果我說痛的話，你就會住手了嗎？」

Mahasamut 只是露出燦笑，果斷地說：「不會。」

「你的皮膚太柔軟了，讓人想咬一口。」

「你就像狗一樣！」

「汪汪！」

Tongrak 被他的行為逗樂了。「你咬傷了人，還敢叫？」

還沒有洗澡的 Mahasamut 向他移動了一步。

「我除了愛咬人，也很黏人。你是不是害怕我會消失不見？」

Tongrak 怎麼可能會承認這點？他沒有多做回應，將頭轉過去佯裝在看海景，耳邊傳來的笑聲似乎也不再那麼惱人了。

「我還是去洗澡吧。」

不知道是不是因為他保持沉默，讓男人一邊說一邊經過他身邊，就在 Tongrak 以為他已走進屋內時，對方又再度折返，用鼻尖蹭了蹭他的太陽穴。

「等我來抱著你睡吧。」

Tongrak 先是一愣，接著看向那個走進房間裡的 Mahasamut，忍不住大喊：

「誰要你這麼做了？」

他摸著自己發熱的臉頰，耳邊聽到男人爽朗的笑聲。

誰要求他要抱著自己？不，沒人這麼要求！

從浴室裡走出來的 Mahasamut 心情大好，腦中浮現了一張漂亮臉蛋，雙頰緋紅，穿著白色睡衣對自己微笑的畫面。原以為會看到一隻傲慢的貓兒躺在被子裡，怎麼也沒想過現實竟是那個作家再度坐在電腦前的畫面。

Tongrak 瞥了一眼男人，繼續敲打鍵盤。

男人坐在床的盡頭，看著那個認真工作的背影，好奇地開口：「手邊有稿子要交了？」

「不是，我和出版社達成協議，不會有截稿日期，完稿後隨時可以交稿。」

「既然這樣的話，那就先睡覺吧？」

「不要。」

Mahasamut 坐在原處，如果不出意外，他應該可以看一整晚。

「你先睡吧。」戴著眼鏡的 Tongrak 看了他一眼說。

「我怎麼能比房間的主人還要早睡呢？」

「我要工作很久。」

「我還沒那麼睏。」男人笑笑地回。

Tongrak 嘟起了嘴。

「你就睡吧。」

「你為什麼那麼急著要我睡覺？」Mahasamut 好奇地問，盯著那個別過視線看著電腦螢幕的人。

「沒什麼。」

「但我認為有什麼。」

「……」

Tongrak 沉默以對。

Mahasamut 盯著那位耳根子紅透的作家一笑，後者深吸了一口氣，接著轉過身，與他對上視線。

「你這樣盯著我看，我無法工作。」

「我保證我會保持安靜。」

Tongrak 瞪大了眼，有些不悅地開口：

「如果你不睡，我就把你趕回去。」

Mahasamut 凝視著他，回想起自己一開始聽到他的邀請時的訝異，此時對方堅決讓自己先睡的嚴肅表情卻讓他更加驚訝。

他必須找個理由留在這間房裡，於是選擇妥協。

「我還是早點睡吧。」狗狗應該要服從主人的命令。

Mahasamut 看著 Tongrak 露出了滿意的笑容，他躺在床上，雙眼卻盯著對方，讓 Tongrak 又忍不住瞇細了眼。

「閉上眼睛，睡覺！」應該沒有人敢不服從他的命令。

男人嘴角勾起一抹弧度，但他不想惹事，於是乖乖閉上了雙眼，耳邊聽著敲鍵盤的聲音，如同搖籃曲般舒服。

事實上，他今天已經工作很長一段時間了。他起了個大早，提醒村民明天要舉辦的活動，晚些時候和日本的合夥人視訊通話，為即將到來的旺季擬定計畫，商討安排日本遊客島上觀光行程，對方希望能安排日本遊客參加一系列海上活動；下午兩點左右才吃了午餐，檢查潛水設備，接著拉 Palm 去檢查珊瑚礁。

而晚上發生的事情，大家都知道了。

　　換作別人在歷經一整天的疲憊後早就昏睡了，但Mahasamut不同，他的腦袋裡正在整理隔天該做的事，包括白天才和合夥人一起擬好的計畫。

　　他不是個太過謹慎的人，但自從離家出走後，現實的生活環境就逼他得小心翼翼。

　　Mahasamut的阿姨給了他一個可以睡覺的地方，但他們沒有多餘的錢扶養另一個孩子。他從小就過著無法選擇的生活，只要有工作他都願意去做，也習慣在島上四處找尋機會，因此養成了在睡覺前反思自己當天作息的習慣。

　　現在的生活狀況已經不像之前那麼糟，他可以賺錢養活自己，也可以追求兒時的夢想。

　　很多人認為他只是日復一日地工作、生活，但Mahasamut內心清楚明白，他有自己想要達成的目標。

　　如果有一大群觀光客進來的話，船可能會不夠用，而且還需要更多人手……

　　就在男人閉目思考工作時，感覺到有人靠在他背上，不知道什麼時候，敲鍵盤的聲音已經停了下來。房間主人走到床邊，掀起棉被往他的方向偎了過來，讓他差點沒笑出聲。

　　「Mahasamut？」

　　「……」

　　他選擇沉默，聽著那個詢問的聲音。

　　「你睡著了是嗎？」

　　「……」

　　當他沒有回應時，Tongrak以為他睡著了。

「好溫暖。」

Mahasamut 一愣，沒想到那個以為自己睡著的人摟住了他的腰，小聲地咕噥一句。

這是他認識的那個 Tongrak？

這樣的感覺是如此熟悉，使他不得不仔細思量起來。

就在那個時候，他明白了。

「呵呵。」

「你還沒睡？！」

這不就是一隻貓兒想趁主人不注意時偷撒嬌嗎？

而那隻被抓包的貓兒此時試圖假裝生氣來掩飾害羞。

「你還沒睡？」

「還沒有。」

Mahasamut 露出一抹笑意，睜眼看著面前的人雙頰通紅，有股想掐掐他臉頰的衝動。

「我要睡了！」Tongrak 大聲宣布，拉起棉被蓋住自己的頭轉過去。

男人靠近他，大掌滑過纖細的腰際，感到對方試圖想要掙脫。「你本來打算偷襲我嗎？」

「沒有！」

Tongrak 搗住耳朵，拒絕接受他說的每個字。

他的舉動讓 Mahasamut 證實了自己的想法：Tongrak 渴望擁抱，卻不敢行動。

男人原本打算再調戲對方，但見他已害羞到蜷成一團，甚至拉高被子完全遮蓋自己，於是決定在這裡收手。

畢竟再逼下去，貓兒可能會溜走。

「我覺得你把冷氣開太強了。」Mahasamut 改變話題。

「你自己去調高。」被子下方傳來了悶聲。

「不用了，」他輕柔地伸手將對方拉進懷中，讓他的背抵住自己的胸膛，「抱著你就能溫暖。」

一開始 Tongrak 還有些掙扎，但 Mahasamut 往他更貼近了些。這是他今天學到的新知，Tongrak 喜歡被抱著。

「誰說你可以抱我？」

「我自己想要抱你的，不需要經過你的允許吧？」

對方的撒嬌實在太可愛，他甚至忘記 Tongrak 比自己大了快十歲。

Mahasamut 摟抱著 Tongrak，將鼻尖埋進他的後頸，汲取著屬於他的味道，就在快要進入夢鄉時，對方的聲音傳了過來。

「你明天要去哪裡？」

他似乎對自己剛才的電話內容感到好奇。

Mahasamut 沒有直接回答，只是丟了另一個問句。

「你要不要跟我一起去？」

Tongrak 拉下被子，回頭看向身後的男人。

「拜託了。」

Mahasamut 施展了小狗的乞求技能。

Tongrak 蜜色的雙眼微微顫動。

男人知道，今天幸運之神是站在他這邊的。

Episode 11

世上最幸運的人

『Rak 哥知道你朋友對我有多殘忍嗎？她要我去她房間拿東西再送到她工作的地方去⋯⋯你知道她工作的地點在哪裡嗎？在佛統府！你也知道我不太擅長開車，在市區裡就已經很辛苦了，更別說開去外府還要一路閃避路上的卡車⋯⋯為什麼我得這麼做？我知道我是唯一一個擁有備份鑰匙的人，但我是為你工作，Rak 哥！不是為 Vi 姐工作的吧？你明白我想表達的嗎？對吧？』

他不明白。

早上九點的時候，一般來說他會躺在柔軟的被子裡，今天卻已看著昨天他的秘書發來的訊息，臉上有著掩不去的笑意。

他大概可以猜到發生什麼事，但若要問他挺誰⋯⋯他當然選 Vi。

Tongrak 也是那種發號施令而不是親自動手的人。

他的朋友沒有做錯事，當忘記帶東西去上班時，只能靠那個擁有鑰匙的人幫忙送東西啊，而 Mook 正好是那個人，把東西送過去不是很正常嗎？

如果 Mook 知道他的想法，應該會難過到哭出來吧。

在看完對方的訊息後，這個向來不擅長早起的人回想起自己為什麼會起這麼早。

他聽說過「社區服務」這個名詞，但活了將近三十年，從來沒有真正體驗過，就算在他的小說裡也不曾有過這樣的設定，學生時期也沒參與過任何自願營或社區活動。他

在加拿大念書時，下課後只會往酒吧跑。

如果告訴 Mook 自己現在身處何處，她肯定不會相信。

他現在正在島上的社區發展辦公室裡。

正確來說，Tongrak 是坐在會議室最後一排。最前方有個漂亮的女人正在解說螢幕上的投影片，會議室裡有村民、小朋友及老年人，全都認真聆聽台上的講座。

「所以，我希望讓大家都明白為什麼不應該把珊瑚碎片帶上水面，哪怕只有一下子也不可以，因為壓力會讓它們變脆弱最後死亡，它們是屬於海底世界的生態圈。」

Mahasamut 小聲地問著坐在他前方的阿姨：

「阿姨，妳聽得懂她在說什麼嗎？她說不要把珊瑚礁從海裡拿出來。」

阿姨迅速轉過身反駁：「唉呀，你在說什麼？這裡的人太多了。」

Tongrak 認為他待在這裡已經久到可以稍微聽得懂一點南方語言，Mahasamut 似乎在取笑那個拿珊瑚礁屍體做紀念品的阿姨，雖然她已經不再這麼做了，但仍被嘲笑至今，這也讓原本無聊的座談被炒熱了氣氛。

一點也不像他以前參加過的學術研討會。

他不知道自己為什麼同意在早上六點起床，同意讓某人載自己來布置會場，但卻無所事事。直到座談開始之前，他都不知道座談內容是什麼。他所能做的就是坐在一邊，看著那個男人忙進忙出，向每一位前來參加的島民打著招呼，歡迎前來演講的工作人員，Tongrak 這才知道，男

人是負責保護這地區海洋的志願者之一。

他看得出來 Mahasamut 正在認真工作。

Tongrak 不由自主地看著那個臉上掛著笑容、帶給周圍活力的高大男人。

「無聊嗎？」就在此時，有人在他耳邊說話，嚇了 Tongrak 好大一跳。

調皮的男孩在對上他的不悅雙眼時，忍不住瑟縮。

「是我 Palm 啊，自己人不要開槍啊，帥哥。」Palm 連忙巴結似地開口。

「有什麼事嗎？」Tongrak 雙手環胸，語氣平靜地問。

「呃，沒什麼，只是擔心你無聊。」

「無聊的話，你有什麼好方法排解嗎？」Tongrak 露出一抹冷笑。

Palm 搔了搔自己的頭。

「好吧，如果你覺得無聊，想聽聽我哥的事嗎？」

Tongrak 一愣，雖然理智讓他必須要否認，但內心深處清楚明白自己對 Mahasamut 的事情很感興趣。

他不知道 Palm 是否明白自己的肢體語言，如果他不想知道的話會立刻拒絕，但現在他保持沉默。

「你知道嗎？ Mut 哥是這裡海洋保護的主要推動者，他很喜歡說『沒有海洋，我們就沒有食物』，因此沒少被島上的老人責罵，說他是得了妄想症，但 Mut 哥並沒有因此放棄，他去找了村長長談，又跟很多相關部門聯絡，直到一年前，才有人願意好好聽他講話。」

「為什麼他不交給相關單位就好？」

為什麼他必須親自處理這件事？

「是吧！Rak 哥，大家都這麼說。明明有那麼多相關單位，為什麼他要自己找麻煩？但你知道他說什麼嗎？」

他要是知道了還會留在這裡聽嗎？

Tongrak 原本想回嘴，但只是搖搖頭，看著男孩彈了個指。

「他說，如果自家人都不懂得照顧自己的家了，還能指望外面的人做什麼？到時大家就知道無家可歸的感受了。」Palm 自豪地開口：「我家 Mut 哥很帥，對吧？」

「……」

「但說得容易做起來很難啊！這些年來他一直拖著我忍受島民對他的謾罵，我想知道為什麼他要強忍這一切……」男孩繼續敘述自己的經歷，沒有停下來的跡象。

Tongrak 發現自己聽得很認真，腦中也浮現一個想法：

那個人還有什麼是做不到的？

如果是自己，根本應付不來，Tongrak 最討厭的事就是被輕視或羞辱，但 Mahasamut 似乎並不在意這樣的事。如果自己問他難道連尊嚴都不要了嗎？或許對方還會回問：「尊嚴是什麼？能吃飽嗎？」

他發現自己不知不覺中更加在意對方了。

Tongrak 回過頭，正好看到 Mahasamut 一臉笑意地看著自己。

雖然只是一個笑容，但 Tongrak 卻別過了頭。

男人饒富興致地看著 Tongrak，怎麼也沒想過對方居然能陪他坐在這裡好幾個小時，而作家本人也沒注意到只是自己的一個笑容，就惹得他雙頰泛紅。

「很熱嗎？」

「我看起來像很熱的樣子嗎？」

Mahasamut 輕笑出聲，Tongrak 身上的襯衫已經被汗水浸濕，臉上還浮現了大小不一的汗珠，但他並沒有抱怨要回去涼爽的地方，就只是靜靜坐在那裡和 Palm 交談、回答村民的問題，也不介意跟大家一起共進午餐。

看來幸運之神真的站在他這邊。

他敢打賭以前 Tongrak 絕對沒有做過這樣的事，自己可能是第一個也是唯一一個會拉他來參加活動的人。Mahasamut 感覺很開心，只要兩人對上視線，就忍不住會勾起嘴角。

誰讓 Tongrak 那麼漂亮的？

Mahasamut 盯著那個拉鬆襯衫散熱的男人，情不自禁地看向他的鎖骨，再往上看著汗滴沿太陽穴順流而下，最後滑落在細膩的脖子上，有股想衝上去舔的衝動。每當 Tongrak 動作的時候，自己就會不由自主盯著他的胸口。

「你在做什麼？我好熱。」

Mahasamut 抓住了他的手扣上了最上面的那顆鈕釦，Tongrak 拍開他的手試圖再度解開，但對方卻握緊了他的手。

「不可以。」

「為什麼不可以？」

雖然喜歡聽 Tongrak 發牢騷，但現在若不說個能讓他信服的理由，他可能不會就此妥協。

「你想讓其他人都知道我們昨晚做了什麼嗎？」

Tongrak 聞言明顯一僵，Mahasamut 湊近了他的耳朵小聲說：「你的脖子上都是咬痕。」

Tongrak 猛地拉緊自己的襯衫，臉上神色慌亂。

「難怪⋯⋯」

「難怪什麼？」

「不關你的事。」

男人露出一抹笑意，轉過身才注意到來自四面八方打量的眼神。

他們對這件事的了解到什麼地步了？

事已至此，Mahasamut 相信不到三天，相關傳聞就會在島上開始流傳，但沒必要讓 Tongrak 擔心，因為他後天就要離開了。

這個現實讓 Mahasamut 臉上的笑容漸漸消失。

他能輕易放手讓對方離去嗎？

「怎麼了？為什麼有那個表情？」

Tongrak 注意到 Mahasamut 的臉色有些不好。

男人連忙正了正臉色，又掛上了笑容。

他不想讓 Tongrak 知道他的想法。

Mahasamut 一如既往用手抵住了自己的下巴，笑笑地反問：「你指的是我帥氣的表情嗎？」

接著感受到 Tongrak 鄙視的眼神。

「哦，我知道我沒有曼谷人那麼帥，但你這個眼神我還是會受傷的。」

「你會受傷？」

「你想罵我就直截了當開口吧，別拐個彎說我無恥。」

Tongrak 有些不齒地看著他。

「你就是無恥、愛說謊、狗嘴吐不出象牙來。」

「哈哈哈……」

對方那連珠炮似的咒罵讓 Mahasamut 忍不住笑出來，Tongrak 似乎也被他感染，笑了出聲。

「你真是個瘋子，知道嗎？」

如果這個瘋子能換來 Tognrak 的大笑，那麼一切都值得。

男人看了一眼手錶，轉換了話題。

「已經過了中午，有想去的地方嗎？」

「你的工作結束了嗎？」

「今天就結束了。」他只負責協調講座人員，在這之後就沒他的事了。

Mahasamut 見眼前的人陷入沉默、不知該去哪裡時，提出了一個想法。

「你想回去工作嗎？帶上你的筆電、到海灘工作怎麼樣？」

「不要。」Tongrak 顯然不接受這提議。

「那你想去哪裡？瀑布怎麼樣？島上有瀑布，這個時間

去很有趣……」

「去你家。」

Mahasamut 頓時愣住，表情不可置信。

「什麼？」

蜜色的眼睛盯著他，語氣堅定。

「我想去你家，帶我去。」

雖然 Mahasamut 能預測下雨，也能預測作家的情緒，但他無法預知為什麼對方會想去他家。

「你還沒去過 Mut 哥家嗎？我看你們兩個那麼熟的樣子，還以為你去過了。」

與 Palm 的對話還在 Tongrak 的腦中盤旋不去，儘管不該在意這樣的問題，但不知為何，對方的話讓他忍不住思考起來。

他們明明是連對方身上的痣都知道在哪裡的關係，在外人看起來也是如此親密，然而他卻沒去過 Mahasamut 的家。

或許這是想要更了解另一個人的感覺，只是直到現在他才明白。

「Tongrak 先生，我的房子和你住過的不同喔。」

Mahasamut 忍不住事先警告，只是 Tongrak 卻堅持不退，男人只好妥協，帶著他往一棟舊木屋前進。

越接近目的地，Tongrak 的雙眼就越瞪越大。

「你想改變主意了嗎？」

「我為什麼要改變主意？」他不解地看向男人，對方露出了笑意。

「好吧。」Mahasamut 拿出鑰匙，開門讓他進屋。

Tongrak 從沒見過這樣的房子。對他來說，就算是夏令營的房間都比這個來得好。

Mahasamut 的住處更像是個只用來睡覺的地方：一張床墊、一個小型衣櫃、一個儲物櫃、一台扇片斷掉的電風扇和一間浴室，僅此而已。

儘管這已經是房裡所能看到的全部，但作家仍然掃視著四周。

「你是在為小說找靈感嗎？」

男人的笑聲從他身後傳來，但 Tongrak 沒有回應。

他只是好奇而已，畢竟他從來沒讓筆下的任何一個角色住過這樣的地方。

「是的，你為什麼要當志工？」他突然轉過身，看向那個正在放鑰匙的男人。

「因為我喜歡大海。」

「就這樣？」

「還需要其他理由嗎？我愛我的家，我愛大海，愛到不惜跟我爸翻臉。」Mahasamut 漫不經心地解釋。他沒想太多，然而最後一句卻吸引了 Tongrak 的注意。

「！！！」

　　男人打開衣櫃脫掉了上衣，Tongrak 看著那寬闊的背部及流暢的線條，耳邊聽到對方低沉的嗓音，情感駕馭了理智，一個箭步衝向前去，抓住了男人的脖子，將嘴唇牢牢貼在他身上。

　　不知道為什麼，就是想吻他。

　　Mahasamut 一開始嚇了一跳，但沒過多久便轉過身摟住對方的腰，兩人的身體緊貼，不留一點細縫，凶猛的舌尖拂過朱唇，毫不客氣地入侵那甜美溫暖的領域。

　　「哈……啊……」

　　Tongrak 不在意唾液流出了嘴邊，只想一直親吻 Mahasamut，想從對方身上得到更多更多。

　　他喜歡這個吻。

　　漫長的吻讓兩人的嘴唇紅腫，呼吸開始變得急促。

　　「今天幸運之神真的很眷顧我。」男人低語，嘴唇滑過 Tongrk 的紅唇。

　　「你的幸運不只這些……」Tongrak 仰頭讓 Mahasamut 將臉埋進他的頸項，接著低聲開口，「上我。」

　　男人縮緊了環住他腰際的手，原本停留在臀部的大掌馬上探進 Tongrak 的後方，掰開柔軟的臀肉，將手指伸向了因快感而緊繃的入口。

　　「還有點腫。」Mahasamut 低聲地說，嘴唇在他下巴附近徘徊，接著輕齧，惹得 Tongrak 忍不住哆嗦。

　　「我沒事。」

　　Tongrak 很了解自己的身體狀況，轉身輕咬男人的耳

朵。

「可以很輕鬆地進去⋯⋯啊！」

他話還沒說完就感到一根修長的手指滑入了後方的入口，Tongrak 雙手緊握著男人精壯的手臂，內心又興奮又緊張。

「啊⋯⋯呃⋯⋯」

Tongrak 喜歡 Mahasamut 的手指玩弄後庭的入口，那手指慢慢地進出，讓他快要發瘋。

「確實。」Mahasamut 咬緊牙關，低吼出聲。

Tongrak 抬頭看向他，內心狂跳不停。

他喜歡對方臉上那全神專注的表情，顯示男人有多興奮；他喜歡那道灼熱的視線，像是會燒傷他那般；他喜歡男人咬緊牙關像是極力克制慾望；他喜歡男人身上滾燙的觸感，令他想摩擦那裸露的肌膚；他喜歡那雙安撫自己的大掌，也喜歡這個人克制不過於暴力的動作。

「做吧，繼續做。」

這只會讓他下腹的慾火越燒越旺。

「好。」

在得到 Tongrak 的允許後，Mahasamut 繼續加入了第二、第三根手指，另一隻大掌則脫掉他的褲子，滾燙的雙唇又是咬嚙又是親吻的，讓 Tongrak 忍不住呻吟。

Tongrak 白皙的手脫掉了 Mahasamut 的褲子，一把握住對方的分身。

「等、等一下⋯⋯」

「對不起，我現在停不下來。」

Mahasamut 將他翻過身，蹲下來扳開了 Tongrak 的雙臀，將嘴唇抵在誘人的入口處，貪焚地吸吮著。

刺痛伴隨著快感席捲而來，Tongrak 瞪大了雙眼，感覺到 Mahasamut 的舌尖探了進來，讓他全身止不住的震顫。

男人表現得就像是在吃什麼美食一般，滾燙的舌尖舔舐，牙齒輕咬周圍，手指探入洞內刺激著，Tongrak 眼中漸漸盈滿淚水，他的臀部被迫拱起，迎接男人的入侵。

「啊……哈……啊……Mahasamut……啊……」Tongrak 忍不住地呻吟，知道如果對方再不停下來自己可能會先高潮，「夠、夠了……停下來……呃……」

然而他的拒絕卻像是鼓勵 Mahasamut 般，沒有讓男人停下動作，舌尖繼續靈活地舔舐，讓 Tongrak 扭動著身體，快要喘不過氣。

他快高潮了……快要去了……

「啊！」

Tongrak 再也忍不住地射了出來，白濁的液體弄髒了面前的置物櫃，而 Mahasamut 並沒有因此停下，滾燙的舌尖仍然持續進攻，直到 Tongrak 的雙腿止不住虛軟。

「不……不要……等等……那裡還不行……」

當男人抽出手指時，Tongrak 的呻吟迴盪在整個室內，他幾乎要把臉埋進自己的手臂裡。

他感覺後庭還很熱，有如對方的舌尖和手指仍然在攪動著一般。

「啊！」

Tongrak 瞪大了眼，張嘴驚呼一聲，因為後方男人的分身不僅是插入，還一口氣就插到了最深處，淚水沿著他臉龐落下。

Tongrak 想轉身阻止他，因為自己才剛高潮完，但卻做不到。

「該死的你太緊了！」

「唔！」

Mahasamut 的大掌拍打他的臀部接著擠壓了他的腰部，手指壓進柔軟的皮膚讓 Tongrak 忍不住顫抖，覺得自己快要喘不過氣來，全身上下的血液都在散發強烈的興奮感。

「啊……啊……」

Tongrak 顫抖著臀部，才剛想逃跑就被對方一把抓住，一次又一次地插入。

「啊……啊……等、等等……好緊……就在那裡……啊……」

Tongrak 的哭聲讓人快要心碎，他覺得自己要瘋了。

Mahasamut 知道他的敏感位置，也知道該怎麼做才能讓他得到快感，為什麼他總是能讓自己輕易卸下防備？

汗水布滿了全身，與其他液體混合，室內充滿著肉體拍打的曖昧聲響，一次又一次的抽插讓 Tongrak 蜷曲腳趾，直到腦中一片空白。

「該死的，你真的太緊了！」

　　Tongrak 聽到了男人的咒罵，那人將他的臀部拉近，拉出後又用力插進。

　　「啊……慢、慢一點……啊……」

　　他試圖哀求，但 Mahasamut 置若罔聞，Tongrak 覺得快要崩潰了。

　　「啊啊……」

　　男人抬起了他的腿，讓炙熱的分身更往 Tongrak 的深處插入，而 Tongrak 只能勾住後方男人的脖子，咬住了他的嘴唇。

　　Tongrak 再度呻吟不止，接受著 Mahasamut 無情的撞擊，Mahasamut 一點都沒有疲憊的跡象。

　　「我受不了了……啊……啊啊啊……」

　　「再等一下……哈啊……我也快了……」

　　「不、不、我要去了……要去了……啊……」

　　Tongrak 瞪大了雙眼，弓起背又再度射出了白濁液體。

　　「等、等一下……我、我才剛高潮……」

　　「哈啊……對不起……」

　　Mahasamut 不等對方回神過來又抓住了他的雙臀翻過了身，伴隨一聲低沉咆哮而來的是炙熱的分身又再度插入了最深處。

　　「對不起。」

　　「啊……啊……」

　　雖然男人低聲道歉，但壯碩的身體卻無情入侵，迫使 Tongrak 勾住了對方的頸項，將臉埋進那寬闊的胸膛裡，回

應著由下而上的猛烈撞擊。

「吻我⋯⋯給我一個吻⋯⋯」

他的請求立刻得到了回應，交纏的舌尖讓清澈的唾液流了下來，兩人赤裸的身體仍然有規律的擺動著。

Tongrak 認清了一件事。

這個男人特別讓他感到滿足。

「你到底是哪來的精力？」

「誰讓你這麼誘人呢？」

當激烈的性愛結束後，Mahasamut 再次感謝幸運之神能讓這麼美麗的男人躺在他的懷裡，而這個男人此時正譴責自己剛才的野蠻行徑。當自己反駁時，他臉上浮現了紅暈，看起來如此迷人。

「如果換做別人早就哭了吧。」

「你不也哭了嗎？還哭得很厲害。」

「哼。」

當他指出真相時，Tongrak 捶了他一記，接著翻了個身，躲避他的視線，Mahasamut 摟住了纖腰，將鼻尖探進他的後頸。

「因為我受不了⋯⋯你是知道的。」Tongrak 用虛弱的聲音開口。

雖然 Mahasamut 的慾望還沒得到完全平息，還是只緊

緊抱住了 Tongrak。

「看來我這輩子的好運都用完了。」

「嗯？」

懷中人轉過身疑惑地看向他，Mahasamut 露出一抹笑意，輕撫著他的頭髮。

「像我這樣的人，做夢也沒想過有一天會帶你進我的房子，讓我抱你在懷裡，躺在我的床上，可能說出去都沒人會信。」

「你沒帶過其他人回家？」

Mahasamut 喜歡這個好奇的眼神。

「我還能帶誰來？」

Tongrak 壓抑想要上揚的嘴角，再度轉過身。

「是的，你這輩子都不會這麼幸運。」

男人用鼻子抵住 Tongrak 的臉頰，半開玩笑地向他索討獎勵。

「你說過如果我做得好，下次會用嘴巴幫我。」

他本來只想開玩笑，但話一落下就立刻沉默了。因為他不知道下次……會是什麼時候？

對方似乎也有著同樣的想法，轉過身來對他開口：

「我明天就回去了。」

「……」

「……」

房內此時一片寂靜，儘管他們才剛經歷過一場激烈的性愛，但現在的 Mahasamut 已找不到自己的笑聲，所能做

的只是用手背輕撫 Tongrak 的臉頰。

「明天早上，船就會來。」

「時間過真快，對吧？」

房間又再度陷入寂靜，靜到可以聽到電扇的聲音，還有床墊隨著人移動時發出的聲響。

男人看著 Tongrak 緊咬下唇，內心突然浮現一個想法。

「你能晚一點再回去嗎？」

連他自己都為脫口而出的話感到驚訝，因為心知肚明這是不可能的事。

從小，Mahasamut 就學會不向任何人提出要求，因為知道當中一定會涉及交換；如果他想要什麼東西就只能自己行動，從來沒想過會有求人的一天。

他是哪來的勇氣開口？他對自己厭惡起來。

「我只是開玩笑……」

「你開口吧。」

當 Tongrak 沙啞的嗓音響起時，男人明顯一愣。

「試著問我看看。」他又重複了一次。

Episode 12

如果是計畫外，
那就擬定新計畫吧

「試著問我看看。」

Tongrak 自己也不知道為什麼要說出這樣的話。但當他聽到對方問「你能晚一點再回去嗎？」，不知為何陷入了猶豫。他應該回到自己的家，回去那個熱鬧的城市裡，不必再每天只看著大海和這個男人。

但為什麼他會有這種奇怪的感覺？

他到底在期待什麼？

作家緊抿雙唇，必須承認自己不喜歡看到 Mahasamut 失望的眼神。

雖然才認識兩個星期，但對方給自己的印象一直是自信不羈的，此刻看起來卻有些畏縮，明顯強打起精神地強調一切都只是玩笑，這樣的反差讓 Tongrak 遲疑了。

「我真的可以問嗎？」

為什麼不行？

這個男人曾做過拿著鑰匙闖進他的房間，把他帶到船上去，強迫他坐上機車，甚至把他弄到哭的種種行徑。他們也曾一起參加過社區活動、潛水、觀星，做過不少事，為什麼他不能要求自己留下來？

「你可以試著開口要求。」

Mahasamut 總是輕易就能激怒他，那這次為什麼不以年紀輕很幼稚做為藉口，向他這樣的大人提出要求呢？

看著對方依舊沉默，Tongrak 有些不耐煩，忍不住催促 Mahasamut。

「如果你開口要求的話，我可能就會心軟了。」

因為他沒有理由留在島上。

此時兩人似乎有著截然不同的想法，房間內依舊一片寂靜，Tongrak 顫動的眼神看著男人。

他真的不開口嗎？他打算就這麼放掉一輩子最難得的機運嗎？

Tongrak 緊抿雙唇，心中浮現了自己未來的行程，如果他拒絕在書展活動上台，如果他要求在沒有截稿日的情況下隨時提交新稿，如果他叫 Mook 通知所有出版社自己沒有靈感，讓他們不要去聯絡劇組改編自己的小說，他還能找到理由再度登上這座島嗎？

還是他必須得等 Khom 從加拿大回來，然後再說想去 Khom 家鄉附近的大海看看？

他在腦中想了所有一切可能的理由，甚至不知道為什麼要把自己搞得如此急切？

但還沒等他做出決定，一隻溫暖的大掌碰觸了他的頸項，來到他的肩上。

「你讓我試著開口要求，對吧？」

「……是的。」

他希望對方開口的問題是自己想聽到的。

Tongrak 看著高大男人的雙眼，此時的他表情嚴肅。

「我知道向別人要求某件事時都會有附帶條件，所以我有很長一段時間不敢隨意開口要求別人，而我也沒有什麼能夠給你的……」

「我不需要。」

　　Mahasamut 修長的手指輕輕碰觸 Tongrak 有些紅腫的雙唇，繼續說：

　　「我甚至不敢開口要求我的父母，所以我也不想讓你感到內疚。要是我現在開了口而你不答應，我以後應該不敢再提出要求了。」

　　那個 Tongrak 覺得無所不能的男人，此時輕撫他的臉頰，銳利的雙眼看著他，語氣帶著請求。

　　「你能不能晚一點回曼谷？」

　　「……」

　　「我保證不會再捉弄你了。」

　　「……」

　　「你工作時我也不會打擾你。」

　　「……」

　　「也不會一大早就叫醒你，不會讓你感到煩躁。」

　　「……」

　　「你說的話我都會照做。」

　　「……」

　　Mahasamut 執起 Tongrak 的手，落下一吻。

　　「留在我身邊吧。」

　　噗通！噗通！

　　Tongrak 不知道聽到的是誰的心跳聲，因為兩人距離實在太近了，當他的心跳就像暴風雨中的小船一樣劇烈狂亂時，眼裡的思緒再也無法被隱藏。

　　「不行。」Tongrak 看著那深邃的雙眼說，「如果你不

捉弄我就不是你了。如果你不早上來叫醒我，那我什麼時候起來工作？如果你完全聽從我的命令，那就真的跟狗沒什麼不同了。因為你是 Mahasamut，是那個有勇氣帶我進來這破舊房間的 Mahasamut，是你才讓我屈服在這張狹小的床上。」

Tongrak 看著對方臉上漸漸擴大的笑容，他喜歡這樣的笑意。

「因為你求我，所以我才留下來的。」傲慢的神情又再度回到作家臉上。

當 Mahasamut 一把將他拉進懷中時，Tongrak 窘迫得差點沒落下淚，即使想抱怨都已經這麼熱了為什麼還要抱這麼緊，然而耳邊聽到的心跳聲又讓他全數吞了回去。

他為什麼要向這個人屈服？ Tongrak 忍不住嘟起嘴，聽到男人低沉的笑聲響起。

「你真是有病，喜歡被欺負還不承認。」

「誰有病？」

Tongrak 往後退了一步不高興地開口。

Mahasamut 俯身在他唇上落下一吻，臉上的笑容越來越大。

「以後如果我對你更壞的話，別怪我。」

Tongrak 原本想要反駁，但如果自己反駁後對方反而溫柔對他的話，也不是一件好事，於是他選擇保持沉默，任由男人拉著自己倒向那張狹窄的床墊，儘管炎熱室溫讓他們滿身是汗，但 Tongrak 仍然安心躺在了那裡。

單純只是因為他累了。

「Mahasamut。」

Tongrak 突然打破沉默。

「怎麼了？」

「關於你剛才提到……你爸爸的事。」

Tongrak 想起對方並沒有將事情詳細告訴他。

Mahasamut 先是一愣，接著舉起一隻手枕住自己，另一隻手則抱住了 Tongrak。

「就像我之前提過的，我喜歡海洋，所以不太認同我爸的想法。」他看著房內老舊的木質天花板，繼續開口，「當我還是孩子的時候，我爸經常帶我出海釣魚，我喜歡釣魚，也沒想過這其實是爸爸的職業。隨著留在海上的時間越久，我就越感覺到我爸他……一點也不在乎海洋的生態。他不在意大海會變成什麼樣子。當他釣到毫無價值的魚就會直接往海裡扔，任由魚屍在大海裡腐爛，而且扔魚的時候甚至沒把魚勾拔掉。我要求爸爸別這麼做，他卻認為那只是浪費時間。」

Mahasamut 淺淺一笑，眼神平靜。

「我和父親吵了一架，他說我只是個中學生不需要管太多，如果不是因為他，我和我弟弟是活不下去的。如果我想幫忙那些生物，先想辦法養活自己吧，別再靠他吃飯了！」

回想起當時的畫面，他被父親丟進了海裡，原本父親以為他會求救，但最終是看不下去的船員把這個瘦弱的高

中生救上船，一上船後，他爸爸又繼續重複那句話。

「如果想幫忙那些生物的話，先想辦法養活自己吧！」

於是 Mahasamut 回答：「那我就養活自己給你看。」

他父親很生氣，二話不說就轟走了他。

從那天起，Mahasamut 就再也沒有回過家。

知道事情來龍去脈的人都說他自尊心太高，只是想搏取父親的注意，紛紛要他回去向父親低頭道歉，但他心知肚明，如果沒有完成目標的話，自己絕不會輕易踏入家門一步。

「我媽沒有話語權，所以十五歲的我就變成了孤兒，而我聽話的弟弟被我爸送進了大學，我爸說想看看我們的未來會有什麼不同。這就是我全部的故事。」Mahasamut 手指輕輕拭著 Tongrak 的眼角，「你在可憐我嗎？」

「如果我說是呢？」Tongrak 小聲地開口。

他不知道該怎麼表達心裡的想法，無法理解超乎知識範圍的事情，即使這個人的過去讓他想起自己，但他們兩人的遭遇大不相同。

Tongrak 不知道一個嚴厲權威的父親和一個只會要錢的父親，哪個是更好的選項？

那他為什麼要在意這件事呢？

「也好，你就多可憐可憐我吧，這樣你就會越來越喜歡我了。」

Mahasamut 的話惹來 Tongrak 一陣輕笑。

「你為什麼這麼可愛？」

他時常會忘記這男人比自己還年輕。

Mahasamut 輕觸他的眉梢，接著撫摸他的臉頰，往下來到嘴角，深邃的眼神凝視著他。

「謝謝。」

Tongrak 不解地看著他。

「謝什麼？」

「謝謝你願意聽我的故事。」

Tongrak 陷入沉默。如果換成別人，他可能會拒絕傾聽，但不知道為什麼他卻聽完了 Mahasamut 的過去，還興起了想安慰他的念頭。

「那我們交換一下吧。」

「交換什麼？」

「你告訴了我關於你的故事。那我也告訴你，關於我的故事。」

Tongrak 翻個身偎進 Mahasamut 懷裡，任由他撫摸自己的頭和背。

「告訴我吧。」

「我有一個祕密，你想知道嗎？」

他看著男人點點頭，臉上露出狡猾的笑容，指尖輕輕撫過他的胸口，接著湊近他耳邊輕輕說：「沒有性愛我就寫不出小說。」

「！！！」

Tongrak 將 Mahasamut 驚訝的神情收進眼底，輕笑出聲，終於可以體會為什麼男人那麼喜歡捉弄自己，因為看

見那臉上的表情真的很有趣。

Mahasamut 眉頭輕皺，將臉埋進了他的頸項，Tongrak忍不住縮了縮身子，感覺有些癢。

「你是認真的嗎？」

「我是認真的，等等，很癢，哈哈……」

Tongrak 笑出聲，感覺 Mahasamut 的手捧住了他的屁股。

「如果不做愛的話，我寫不出愛情戲，也寫不出甜蜜的場景。難道性愛不算愛的一種嗎？」他笑著解釋。此時男人的手指已經探向自己身後，Tongrak 也開始呼吸急促。

他很喜歡男人這麼做……先是探了進去，接著再拔出來。

「所以你喜歡我，是嗎？」

「呃……」Tongrak 沒有承認，只是輕輕呻吟。

「因為我和你做愛？」

Tongrak 湊近了他的耳朵，小聲說道：

「我不知道。」

他露出一笑，挑釁似地在他唇上落下一吻，Mahasamut用力移動了手指，讓 Tongrak 忍不住叫出聲。

Tongrak 說的是實話。

「我是認真的……啊……」

光滑的皮膚互相摩擦的聲音響起，室內充斥著呻吟和粗重的喘息，液體交換的聲音足以淹沒其他的音量，甚至聽得到木頭搖晃發出的動靜，讓 Tongrak 不得不擔心房子

會不會因此倒塌。

　　他從來沒像現在這樣屈服於任何人。他不知道這到底算不算愛情？

　　或許他只是迷戀上這樣的男人而已。Mahasamut 的魅力讓他想多留在這裡一會，讓這份未知的情緒得到紓解。

　　〔不行！〕

　　「但是……」

　　〔沒有什麼但是，Rak 哥今天一定要回來！〕

　　「等等……」

　　〔Rak 哥聽我說，你明天有個重要會議！〕

　　Tongrak 提著兩個大行李箱站在碼頭，不得不將手機拿得離耳朵遠一點，臉上的表情不太開心。每當他試圖要解釋時，Mook 就會打斷他的話，嚴厲地提醒他必須今天晚上回到曼谷，不能錯過明天的重要會議。

　　那個早被他拋到腦後的會議。

　　Tongrak 轉身看向那個站在小貨車旁的男人。

　　今天早上當他醒來，撥了通電話給他親愛的秘書，表明想要延長退房時間，並更改他預定的船班時，立刻就聽到對方的驚聲尖叫，下令自己必須收拾行李，立刻回到曼谷。

　　他不得不把這件事告訴那個男人，說他本來還想找藉

口留在島上，然而他的秘書態度萬分堅決，也表明已和船東家確認過上船時間，不容許他有任何反對的機會。

　　知道了來龍去脈的 Mahasamut 沒有多說什麼，只是說自己會接送他，原本還以為對方會騎那輛裝了拖車的機車來，沒想到他居然開了一輛小貨車。

　　「哦，我用它來拖船。」

　　他本來想吐槽為什麼對方開這樣的車子來接他，在看到 Mahasamut 臉上的笑容時又全數吞了回去，只能默默地跟他上車，並在約定的時間來到了碼頭。

　　當他和秘書通話時，一開始載他來島上的船也正往碼頭方向接近。

　　〔Rak 哥今天會回來吧？你不會忘記明天要和一個為你管理海外版權的公司開會吧？上個月就約好要來泰國一趟，我答應了他們的行程，不能讓會議開天窗。他們前不久才跟我們討論要將你的小說翻成日語版，這次來是要討論將小說改編成越南語戲劇，你沒忘記這件事吧？總之，你今天一定要回來，求你了啊，Rak 哥！〕

　　Tongrak 聽到秘書焦急的嗓音，嘆了一口長氣。

　　「我回去就是了。」

　　〔我愛你，最愛你了！〕

　　「嗯嗯就這樣吧。」

　　〔Rak 哥要上船了對吧？Mook 會去接你……〕

　　Tongrak 沒等她說完便掛斷電話，再看向身後一臉笑意、朝自己走過來的男人。

「你沒忘記什麼吧？」

為什麼他要露出這樣的表情？

「忘記什麼？」

作家眉頭輕皺，那個才求自己不要回曼谷的人，此時一派輕鬆，看起來一點都不難過。

Tongrak 咬緊下唇。

如果他不在乎，又何必說出那樣的話？

這個想法讓他拿起手機點開了銀行 APP，在上面輸入一組數字，不一會兒 Mahasamut 就收到了通知提示。

「你的服務費。」

Mahasamut 之前也說過，他們之間只是交易關係。

男人笑笑地向他一鞠躬。

「謝謝你給予如此高額的小費，歡迎再度來電預約。」

原來真是這樣嗎？

Tongrak 在內心暗忖，他必須提醒自己，這一切都是正常的：他付錢，對方提供服務。先前也都是這麼做的。

只是……他從來沒有像現在這麼難受。

「我不會再踏上這個島了。」

「是的，你一開始就是被逼來的。我還記得你剛來的樣子。」

大掌撫向 Tongrak 的脖子，嚇了他好大一跳，儘管他躲開但皮膚上仍殘留對方的溫度。

「不要把臉抬得太高，脖子會很痠。」

「你擔心我幹嘛？先擔心你自己吧。」

「別忘了吃飯，不然對胃不好。」

「你是醫生嗎？」

「不要太晚睡，你已經不年輕了，熬夜會讓皮膚變差。」

「Mahasamut！」

「嗯，Tongrak 先生？」

Tongrak 生氣地看著他，這人真的不管到什麼時候都是個混帳！

「我要回去了。」他不悅地別過臉去。

「讓我來幫你提這個價值不菲的箱子。」Mahasamut 半開玩笑地說，接著拎起他的兩個行李，走向停在一旁的船。

Tongrak 看向男人的背影。

為什麼他覺得自己內心的難受越來越泛濫？

回去工作吧，Tongrak。

他深吸了一口氣，經過 Mahasamut 身邊朝船的方向走去。

就在這個時候，Tongrak 被男人抓住了手臂，他轉頭對上了男人的視線。

「Tongrak 先生。」

「還有什麼事嗎？」

「TongrakMahasamut。」男人突然開口說，「我不會忘記我們之間的事。」

Mahasamut 深深看著他，語氣真摯。兩人對視了很長一段時間。

「保重。」他最終鬆開了自己的手。

男人退後了一步，讓 Tongrak 登船，此時 Tongrak 腦海中浮現了過去共度的回憶。

「爲什麼你要叫 Mahasamut？這名字很奇怪。」
「爲什麼你要叫 Tongrak？這名字也很奇怪。」
「是我先問的。」
「也許我們的名字是注定要成爲一對的。」
「你的泰語老師要哭了，這兩個名字怎麼湊成一對？」
「Tongrak⋯⋯Mahasamut。」
「一派胡言。」

他甚至記得對方說的那句話。

「TongrakMahasamut，你必須愛著海洋，你必須愛我。」

後頸似乎殘留著對方大掌的溫度，Tongrak 情不自禁地跑向了那個準備走向小貨車的男人，氣喘吁吁地停在他面前，拉住了他襯衫的領子。

「多少錢？」
「什麼？」
他無視對方疑惑的表情，重複了剛才的問句。
「我問多少錢？」
Mahasamut 一笑，用輕鬆的語氣說：

「私人潛水課程的價錢你知道，下次就按那個價錢吧。」

「不。」Tongrak 拉近了對方的脖子，用再嚴肅不過的聲音開口：「我是問要付你多少錢，你才能跟著我去曼谷？」

「！！！」此話一出，Mahasamut 瞪大了眼，銳利的眼神閃過一抹正色。

「你確定嗎？」

「告訴我多少錢。」Tongrak 固執地再度重複剛才的問題。Mahasamut 露出燦爛的笑容，這正是 Tongrak 想看到的。

「你知道我並不便宜。」男人說出了兩人才知道的祕密。

「錢不是問題。」

Mahasamut 大笑出聲，低頭吻了吻 Tongrak 的手。

「我相信你說的。」

Tongrak 臉上的笑容越擴越大，他認為自己做了正確的選擇，而且他敢說，曼谷的人都會很驚訝他帶了一個伴手禮回家。

畢竟 Mahasamut 是島上的寶藏。

作家拉著他一起上船，男人毫不猶豫地跟了上去，完全沒打算要回家收拾行李。

Tongrak 相信這不是愛情，只是個人樂趣。

他負擔得起一切的支出，沒人有資格批評他。

不管怎麼樣，他買的是對方的服務，不是嗎？

Episode 13

Suger Daddy

她不喜歡那個傢伙。

這是年輕女孩 Khaimook 看到她老闆帶了一個男人回來時，內心浮現的第一個想法。她原本還慶幸老闆在未來一個月可能會忙於工作、不會搞什麼消失的戲碼，但當 Tongrak 帶著高大的男人一起進入國內線大門時，她覺得自己受到了巨大的衝擊。

當他介紹對方的身分時，女孩更是張大了嘴合不起來。

「Mahasamut，妳認識的，我把他買回來了。」

「什麼──？！」

她的尖叫聲引起了機場保全的注意，但她更在意的是自己有沒有聽錯老闆說的話。

他買的？現在男人可以交易了？

Mook 仍然無比震驚，即使已經開車將他們送回老闆的豪華公寓，在聽到 Tongrak 邀請對方和他一起去房間時，她臉上的驚駭依舊沒有卸下。

這不是一場鬧劇。

「你的房間是哪個？」

「那個。」

一走進 Tongrak 的豪華公寓裡，Mahasamut 立刻提問，而房子主人為他指了正確方向，讓男人往那個方向走。

「等等！你要做什麼？」女孩張開雙臂阻擋了他的去路，不想讓他侵犯老闆的隱私。

「就睡個覺，Tongrak 先生肯定累壞了。」

「如果 Rak 哥累了就讓他去睡就好了，為什麼你要跟

著？」Mook 鼓起勇氣試圖與他爭論，令 Mahasamut 輕笑出聲。

「我必須要和 Tongrak 先生一起睡。」

「不行！」

對方一閃躲，Mook 就立刻擋住去路，語氣尖銳無比。

她會試著理解老闆買男人的事實，但她不相信 Rak 哥會和一個男人同房共枕。誰知道 Mahasamut 會不會趁著睡覺時對她老闆不利？

身為秘書，她絕對不允許這樣的事有可能發生。

「為什麼？」

「我不信任你。」Mook 老實地開口，對上了他的視線。

為什麼這個男人身材如此高壯？

打從一開始見面時，Mook 內心就升起了想退縮的念頭，但仍然撐著一口氣堅持自己的立場，儘管除了 Rak 哥以外的男人她都不熟，唯一親近的男性就是她的家人，所以當她站在這裡與一個陌生男人角力時，特別是那人一身黝黑的皮膚眼神還很銳利，讓 Mook 簡直害怕到想哭。

但她必須要保護 Rak 哥！

眼前女子的手勢讓 Mahasamut 忍不住微笑，感覺自己吹口氣就能把她吹走。

他不想欺負弱者，於是看向了靠在門邊的 Tongrak，用眼神詢問他的意見。

畢竟他不想動手，但如果讓他自行應付的話，顯然女孩也不會讓步。

Tongrak 臉上已掛滿打趣。

這場比賽勝負已經很明顯。

「讓他進來，Mook。」Tongrak 簡短地開口，導致 Mook 連忙轉過身看向自家老闆。

「但⋯⋯但是他的來歷不清不楚，我怎麼可能讓他進你的房間？」

以往 Tongrak 在外面玩都會找飯店開房，很少會帶男人回到家裡，也難怪 Mook 會如此戒備。

只見她老闆臉上的笑容越擴越大。

「他現在不進來，最後還是進得來的。」

「Rak 哥！」

「而且如果他不進來，我怎麼跟他上床？」

「Tongrak 哥！！」

Mook 羞紅了臉，她清楚知道 Tongrak 的性向和喜好，但這些是能當著她的面說出來的事嗎？

「不是嗎？買了東西就該好好利用，對吧 Mahasamut？」

該死的那個男人在笑什麼！

「Tongrak 先生說得沒錯，如果我進不了房間就無法和他上床⋯⋯」男人彎下腰對上 Mook 的眼睛，笑笑地開口，「或者妳想讓我在這裡做？要是妳同意，我也沒問題。」

「你瘋了嗎！」Mook 連忙往後退了一步尖叫。

她的動作讓其他兩人一起笑了出來。

「太晚了，妳該回家睡覺了。」

「但是、但是⋯⋯」

　　儘管 Tongrak 輕輕地將手放在 Mook 頭上溫柔地開口，但紅著臉的她還是想要爭論。

　　「還是妳想親眼看我們做愛？」

　　「Rak 哥！」Mook 忍不住哀嚎出聲。

　　「回去吧，要是妳再不回去，我就取消明天的會議。」Tongrak 威脅似地開口。

　　「不行！」她瞪大了眼抗議，不能讓明天的會議開天窗，對方專門飛來泰國要和 Tongrak 開會，他一定要出席，「Rak 哥可以取消其他活動，但明天的會議說什麼都不能取消。」

　　「那妳就回去吧，妳不讓我休息，我明天就會起不來，就有可能無法出席。」Tongrak 邊說將她推向門口，無視她的反抗，但 Mook 仍試圖找理由來支持自己。

　　「Rak 哥仔細想想，你才見過他兩週，不能就這麼帶他回來。你不知道他真實的身分，也不確定這人是否可以信任。」Mook 小聲地發表自己的想法，看了一眼站在身後的男人，雖然她不喜歡對方，但這種事也不能當人家的面隨便開口，「而且……如果他身上有什麼……」

　　「妳的意思是……傳染病？」Tongrak 直截了當地問，令他的秘書又再度羞紅了臉。

　　「妳的話有道理。」

　　「對吧……」她滿懷希望地認為 Tongrak 會聽從自己的意見，但她並不知道那兩人已經進展到什麼程度。

　　Mook 的反應讓 Tongrak 露出一抹狡猾的微笑。

「妳明天帶他去醫院吧。」

「啊？！」

「噢，我的耳膜快要破掉了，妳快回去吧。」不等
Mook 再說話，他便將她推出了門，還沒忘記丟下最後一
句，「別忘了明天帶他去醫院。」

Mook 眼睜睜看著 Tongrak 關上門，如果她沒看錯，站
他身後的男人甚至還向她揮手告別。

Rak 哥你不能這麼做！

Mook 獨自一人站在走廊上，因為擔心老闆在內心忍不
住大叫起來。

Tongrak 的住處是位於市中心豪華公寓的二十七樓，裡
頭有三間房，主臥有一大片落地窗，看得到曼谷的繁華市
景，另外兩間是書房和客房，正中間的客廳有一套真皮沙
發和環繞音響家庭劇院，另一邊則是看起來從未被使用過
的廚房。

Mahasamut 坐在沙發上，邊打電話邊環顧室內。

〔你什麼時候回來？〕

「還沒有想法。」

〔什麼？你瘋了嗎 Mut 哥！〕

Mahasamut 輕笑，看來他的決定讓很多人覺得他瘋
了，就連那個向來隨和的弟弟 Palm 也用著快要震破耳膜的

音量說話，也難怪昨天晚上那女人那麼看自己。

　　他確實很瘋，畢竟有誰會像他這樣不經思考就跳上船呢？

　　但他並不認為自己瘋了。

　　Mahasamut 面露笑意，懶得跟 Palm 解釋太多，只是下達命令。

　　「是的，所以你要寄東西給我，我會給你地址。」

　　〔Mut 哥，你拋棄了我。〕

　　男人又笑出聲，聽對方抱怨幾句後便結束通話，他還有更重要的事要做。

　　他靠在沙發背上，想起了昨晚 Mook 離開後發生的事。

　　他原以為 Tongrak 會讓他進自己的房間，然而事情和他想的背道而馳。

　　「你的房間在那裡。」

　　Tongrak 指著客房，Mahasamut 面露疑惑。

　　「哦，我們不做了嗎？」雖然他知道對方旅途疲累可能沒有心情，還是忍不住調侃。

　　「如果我明天起不來誰負責？」Tongrak 臉上浮現紅暈，雙手環胸故作鎮定。

　　「如果我保證只抱著你呢？」Mahasamut 以略有所思的眼神看對方，發現 Tongrak 露出了猶豫的神情，現在 Mahasamut 確信這隻驕傲的貓很喜歡被擁抱的感覺，他有信心自己能順利進入他的房間。

　　「我不相信你，晚安。」

然而對方卻直接讓他幻想破滅。

Tongrak 像是擔心自己屈服內心的渴望般當著 Mahasamut 的面關上了門，男人只能無奈地搖搖頭，回想起 Mook 說過的話。

如果他真的是個壞人該怎麼辦？Tongrak 不能這麼隨意相信一個人。

原本 Mahasamut 還有很多話想要說，但一到隔天，Mook 就站在門外等著，雖然她有備份鑰匙卻遲遲不敢開門，只是選擇按門鈴。

去開門的 Mahasamut 一看到 Mook 的紅臉就立刻明白她在想什麼，或許她認為他們兩人一整晚都在做，只可惜這並不是事實。

她進門叫醒了 Tongrak，再拉他進浴室洗漱，隨後立刻帶他出門去上工。

Mook 看著自己的眼神依舊充滿了不信任。

或許他真的不值得信任吧。

Mahasamut 將遠飄的思緒拉了回來，望向天花板，他還沒為自己的衝動找出合理的解釋。

他不會輕易放過能賺錢的機會，也秉持著「收到錢就要把工作做好」的原則。但他並不是陪睡的，那不屬於他的工作範疇。

選擇這條路不會讓自己變得更有錢，但不知道為什麼，他放不下那個驕傲男人散發出的脆弱，那個自稱不懂得愛情、暴露自己弱點、要他跟著回曼谷的美麗作家。這

是他唯一一次能把握的機會，Mahasamut 不會輕易放棄。

如果沒跟著來，他們或許再也不會有交集。

男人嘆了口氣，許多人認為他在同齡人裡是相對成熟的，可以獨立自主處理任何事情，然而事實證明他沒那麼厲害，整晚沒睡的他並不知道未來該怎麼辦，幸運的是現在是淡季，很多人會關店休息，到了旺季再重新開業，而且他還有一些積蓄。

另外，他還有 Tongrak 給予的東西。

「這叫什麼？乾爹嗎？」Mahasamut 低聲咕噥。

男人再度嘆了口氣，站了起身，無所事事只會讓他內心更加不安，他還有很多事情該去做。

他該先打個電話給 Khom 嗎？還是不了，會失去驚喜。

「Rak 哥你再考慮考慮，這不能開玩笑。」

結束與外國廠商的會議後，Mook 就一直說服 Tongrak 重新審視 Mahasamut 那個奇怪的男人，然而作家充耳不聞，持續將話題轉到基本沒什麼大問題的工作上。自從他的第一部 BL 小說被改編成戲劇以來，他已經在這間公司待了五年，很信任他們會為他選擇最優秀的合作對象。

注意到對方壓根不理會自己，Mook 扳起臉，轉過頭用再嚴肅不過的語氣叫著：「Rak 哥！」

「唉。」Tongrak 忍不住嘆了口長氣。

「我知道 Connor 偶爾⋯⋯也會買一些食物來找你，但那也只是偶爾。你知道你現在是什麼情形嗎？喜歡到把那個人從南方帶回曼谷還跟他一起生活？這已經不是逢場作戲了，難道你要為他的生活負責嗎？你信得過他嗎？」

「Khaimook ！」

當 Mook 試圖拿 Connor 比較時，Tongrak 不高興地喊了她的名字，讓女孩閉上了嘴巴。她知道當對方用這樣的聲音喊自己的名字時，就表示他現在⋯⋯是認真的。

Tongrak 有些煩躁地抓了抓自己的頭。

Mook 沒有錯，她說的都是事實。

不管是誰都會覺得自己瘋了，這並不是什麼打開交友 APP 然後發生關係後就可以結束一切的事。他把 Mahasamut 帶回家了。但若要問他是否後悔，答案是否定的。

Khaimook 並不知道 Connor 之前也買過人帶回家，而那個人現在成了他的男朋友。

等等，他在想什麼？他只是想說服自己 Connor 也做過同樣的事，所以這一點也不奇怪，對吧？

「我已經決定了，Mook 還要指責我做錯了嗎？」

Mook 緊閉嘴巴，雖然她很想大喊：是的，Rak 哥錯了！

她是少數知道 Tongrak 家庭背景的人，甚至覺得他應該是內心渴望被人愛卻不肯承認，但他明明身邊有一堆人選，為什麼偏偏選擇那個不知道打哪來的南方人呢？

Connor 明明也是個好人，為什麼不直接和他交往呢？

如果 Tongrak 和 Connor 知道她在想什麼的話，肯定會用手指著對方，然後一起驚聲反問：妳指的是這傢伙？！

Mook 嘆了口氣，知道自己贏不了 Tongrak 哥。

「那你接下來打算怎麼辦？」

Tongrak 接下來說的話讓 Mook 張大了嘴。

他是認真的嗎？

「體檢表在桌上。」

Mook 剛剛完成她老闆交待的任務，硬著頭皮面對那個看不順眼的陌生男人。她指著放在客廳那份帶有醫院印章的信封，在看到對方的笑容時，面露不解。

為什麼他會露出這樣的笑容？為什麼要求他體檢會讓他笑成這樣？

正當她想仔細看個端倪時，Tongrak 已迅速收起文件，回頭看向她。

「妳讀懂報告的內容了嗎？」

當然不可能！她還沒和任何人發生過關係，又怎麼會知道性病體檢表是什麼內容？

Mook 做了個鬼臉，搖搖頭。

「我沒病。」Mahasamut 的聲音從廚房裡傳了過來，看了看一臉滿意的 Tongrak，笑笑地對 Mook 說，「順帶一

提，我們的保險套用完了。」

Tongrak 看起來認同了男人的說法，然而他的秘書可不這麼想。

「我什麼都沒聽到，我什麼都不知道。」她用雙手搗住耳朵，裝作沒聽見，不想知道老闆的房事細節。

「或者下次可以考慮無套……我保證不會射在裡面……」

「啊！別說了！我不想聽！」Mook 大喊出聲打斷了男人，狠瞪對方一眼像是在看瘋子那般。

Mahasamut 一笑，視線對上了她，兩人之間有股細微的火藥味。

Tongrak 似乎壓根沒注意兩人的較勁。

「誰說不能？」

Tongrak 話一出口，兩人有志一同地看向了他。然而前者只和 Mahasamut 進行眼神交流，揚起眉毛似乎在詢問：「你真的不這麼做嗎？」他看到男人漆黑的雙眼裡閃閃發光，甚至將視線停在他所在的廚房區域，腦海中不由自主想起如果靠著冰涼的大理石做應該也不錯的念頭。

直到他想起 Mook 也在場。

「Rak 哥！」

他忘了這裡還有一個未經人事的純真女孩。

「太熱了，我去洗個澡吧。」

由於那個好事的她還留在現場，Tongrak 決定轉移話題往浴室方向走去，身後傳來兩人的對話。

「是誰讓你進廚房的！」

「我餓了。」

「那你為什麼不叫外賣？」

「自己做比較便宜。」

「哦，但 Rak 哥不吃這種食物。」

「食物就是食物，難道妳想說 Tongrak 喜歡機油而不是米飯嗎？」

「你！」

看來他們兩人相處得很好。

Tongrak 聳聳肩走進浴室，心情比以往還要來得輕鬆。

這樣房間就不會太安靜了。

　　Mahasamut 想假裝忘記自己為什麼此時站在市中心的豪華房間而不是海道上，但 Tongrak 似乎有不同的想法，至少那人是想劃清界限的，不然也不會派秘書來這樣跟他對話。

　　「這是你和 Tongrak 哥之前的合約，如果你有任何不同意或想修改的地方就儘管說吧。」Mook 將一張紙滑到了他面前。

　　男人看了一眼，接著拿了起來。

「所以妳接受我了？」

Mook 搖搖頭。

「不，但 Rak 哥已經決定了。」她語氣無奈，看著

Mahasamut 的眼神很不安。

　　Mahasamut 看完了紙上的內容，嚴格來說這並不是合約，而是一份備忘錄。

　　內容概述了同居的要求，Tongrak 將會負責所有生活開銷，包含衣食住行，如果 Mahasamut 想進修的話也可以支付費用，但不可以打擾 Tongrak 工作，不能做他不想做的事，最後——這樣的關係在 Tongrak 的意願下隨時可以結束。

　　沒有愛，沒有承諾，只有兩人的權利義務條款。

　　Mahasamut 壓抑想要咆哮的衝動。

　　不是因為受到侮辱，也不是因為被當成提供特殊服務的男人，而是因為他不喜歡那個人的所作所為，像是兩人之間除了錢之外什麼都沒有。

　　至少目前是這樣。

　　Mahasamut 緊握拳頭，臉上仍然掛著笑容，將文件放回桌上。

　　「如果我不同意呢？」

　　也許眼前的女人會更討厭自己。

　　Mook 不滿地看著他，她必須承認對方長相俊朗帥氣，儘管他和 Tongrak 哥平常會來往的對象不同，但她一點也不喜歡對方的說話方式，這意味著對方可能不會輕易離開這裡，說不定將來還會成為 Rak 哥的阻礙。

　　「不行，這是規定。」

　　「所以，要是 Tongrak 厭倦我，隨時可以拋棄我嗎？」

Mook 同情地看了他一眼，嚴肅地點點頭。

「是的。」她語氣平靜。

「那就這麼決定了。」Mahasamut 笑笑地說。

他不知道自己能有多少時間，但至少這個機會他不能錯過。

Mook 抿起嘴，雖然內心希望對方能反對，但既然他同意了，也不得不繼續說下去。

「Rak 哥想知道你希望一個月或一個星期大概多少開銷？他會每個月給你六萬泰銖，不包含生活費，如果你想去進修，他也會供你去。」她邊說邊轉達 Tongrak 之前向自己提過的建議。

只不過她很想問問 Tongrak，這些事真的屬於她的職責範圍嗎？

吃過飯後，Tongrak 要她完成與 Mahasamut 的討論，同時也告訴她 Vi 會來找他，雖然人還沒出現。

Mook 除了要做些不擅長的事外，還要和 Vi 見面，天知道她壓根還沒準備好要面對那位。

為什麼所有事全都要擠在這個時候？

她努力將精神集中在眼前的男人身上，沒注意到開門聲，房間主人帶著一位漂亮的女明星走了進來。

「作家能這麼有錢嗎？」Mahasamut 笑笑地問。

「Rak 哥不僅是一位作家，他還有很多收入來源⋯⋯」

「我就只是有錢。」

Mook 望向那個打斷自己的老闆。她試圖不透露 Tongrak 的真實收入，但對方好像不這麼想。

「單靠版稅並不能支撐我的生活，一本小說寫三個月只能得到十萬泰銖，現在有些作家會靠粉絲的斗內、收禮或其他方式賺到更多錢，但我只為出版社寫作。雖然有些作品被改編成劇賣得不錯，但我最終只會拿到 10 ～ 15% 的分紅。」作家毫不猶豫地分享了細節。

「那你為什麼要付我這麼多錢？」

不管怎麼樣，Tongrak 給的報酬很高。

Tongrak 面帶微笑地說：

「因為我不只靠寫小說賺錢，而是⋯⋯」他向前一步，停在 Mahasamut 面前，「我本身就已經很有錢了。」

蜜色的雙眼裡寫滿自信，像是想表達只是養個男人而已，不會超出他的能力範圍。

Mahasamut 站了起來，直視那張漂亮的臉。

「你嫌太少嗎？」Tongrak 好奇地問。

「這樣就夠了。」男人搖搖頭。

「那我們達成協議了？」作家露出滿意的笑容。

「你現在變成 Sugar Daddy 了嗎？我的朋友。」

Mahasamut 看向站在 Tongrak 身後發話的女人，她看起來有點眼熟，而女人也用饒富興味的眼神回看自己，至於 Tongrak 則點了點頭，表示認同她的說法。

Episode 14

我已經警告過你了

「這是我朋友 Vi。」

「我是 Mahasamut。」

「你好，Tongrak 的兒子。」

「我已經改名了嗎？」

「哦，還沒嗎？」

「妳應該說：Tongrak 乾爹的兒子。」

認識還不到一分鐘的兩人相視而笑，不知為何似乎感受到彼此的相像之處，這讓 Tongrak 看了好友一眼，後者開玩笑地說：「你眼光真好。」

他們之所以來得這麼慢，正是因為 Tongrak 向 Vi 解釋了正在發生的事。

和 Khaimook 反應不同，當 Vi 知道她的好朋友做了些什麼時，只是抱著好友終於對某人感興趣了的想法，儘管她的好友反駁，堅稱自己是因為滿意對方的床上功夫才把他帶回來的。但若 Mahasamut 不夠優秀，Tongrak 會想把他帶回來嗎？

答案是否定的。畢竟 Tongrak 不是那種毫無經驗的男人，能讓他如此著迷的對象，目前為止大概只有那個叫 Mahasamut 的人。

她對終於能見到 Mahasamut 感覺激動。

Vi 並不是想搶朋友的男人，她只是好奇好友感興趣的男人。

「謝謝妳的稱讚，我相信自己會是個好東西。」Mahasamut 故意扳著臉說。

　　女明星輕笑出聲，盯著眼前的男人。她喜歡好友此時的眼神，不禁好奇兩人之間並不僅僅是幾頁紙的交易。

　　但 Khaimook 持反對意見。

　　「我不明白他哪裡好。」她忍不住嘟囔。

　　Mook 真想向全世界大喊，她在協議書上輸入的每個字都經過深思熟慮，還避免用太直接的字眼或者任何與性愛有關的事，她甚至還想去網路搜尋「秘書」這個工作是否包括照顧老闆性事方面的需求？

　　「嫉妒妳心愛的哥哥被搶走啊？」Vi 轉身問。

　　「沒有。」她別過頭去小聲反駁。

　　Vi 看了 Tongrak 一眼，後者只是聳聳肩，滿臉不在意。

　　她朝 Mook 走過去，按住她的肩膀，強迫女孩轉過來面對自己，掛上迷人的微笑，讓短髮女孩有些不自在。

　　「Vi 姐想幹嘛……」

　　「別難過了 Mook，沒有那一根很糟糕，對吧？」

　　「Vi 姐！」

　　Mook 往後退了三步，用手摀住耳朵，看著 Tongrak 並指著 Vi 的臉。

　　「Rak 哥你看，她欺負我。」

　　「嗯，但 Vi 說得也沒錯，我確實喜歡妳，但妳沒有……」Tongrak 意有所指看了看 Mahasamut 的下半身，接著回頭看向秘書，嘴角勾起一抹弧度，「我就沒辦法用其他的方式愛 Mook。」

　　「不……我從來沒有這樣想過……你們明顯就是在欺負

人。我沒有，我也不想有……」

「那，你的意思是說可以愛我囉，Tongrak 先生？」

就在那對好友欺負秘書之際，Mahasamut 突然認真地發話，讓那個正在找藉口反駁的 Mook 安靜了下來，而 Tongrak 與 Vi 也突然陷入沉默，三人下意識地看向那個聲音來源。

Mahasamut 只看了 Tongrak 一眼，又重複地問：

「既然我有，你就可以愛我了是嗎，Tongrak 先生？」

「……」

安靜的房間裡，每個人都注意到 Tongrak 臉上快速浮現的紅暈，由於他皮膚白皙，臉紅時特別明顯。

而且這次他的臉紅到熟透。

Tongrak 是個流連花叢的人，經驗豐富的他卻被 Mahasamut 幾句話搞得啞口無言，或許他壓根沒想過會有人如此直球對決。

更重要的是，他為什麼會心跳不停加速？

Mahasamut 不是才看過協議，他們只講錢不談感情的嗎？

Tongrak 與男人的視線對上，他的眼神充滿猶豫，而後者則是正經直白。

「哇塞。」

此時一陣掌聲伴隨女人的聲音響起，Tongrak 移開視線轉向好友，後者正露出討人厭的笑容，看著自己笑笑地說：「你完了，Tongrak。」

Vi 看起來興味十足。

她轉過身看向 Mahasamut，開口說：

「你可以叫我 Vi 姐，如果 Tongrak 不要你了，隨時來找我，我很喜歡你。」

「應該不太容易。」Mahasamut 反駁，望著沉默的房間主人一笑，「因為我不會輕易就被拋棄。」

他不會讓這個人離開自己的。

銳利的雙眼直視那雙蜜色的眼睛，語氣無比柔和。

「愛上我比離開我更容易。」

「……」

Tongrak 一時半刻找不到自己的聲音，倒是好友輕笑出聲，「我的朋友完了耶。」

「是嗎？」南方人忍不住反駁。

在 Mahasamut 講出下一句話前，找回聲音的 Tongrak 終於開口：「胡說八道。」

他有些不穩地走向自己的臥室，關上門前還不忘大喊：「胡說八道！」

在場三人只能目送他躲進了房間。

Vi 依舊饒富興致地看著 Mahasamut，不在意 Mook 在一邊應和老闆的話。

她看出朋友的失常，對男人的興趣也越來越濃厚。

「我能問妳一件事嗎？」Mahasamut 看著 Vi 問。

「我不會出賣我朋友。」

「我也不會走捷徑。」

「那你問吧。」她點點頭。

「我想買衣服，有推薦的店嗎？」

Vi 驚訝地瞪大了眼睛，原本以為對方是想問關於 Tongrak 的事，然而後者只是低頭看了看自己的衣服。

「我什麼都沒帶，Mook 小姐又不讓我進 Tongrak 的房間，所以我借不到衣服了。」男人嘆了口氣，語氣可憐。

「這有什麼關連嗎？」被點名的人忍不住反問。

「要是我身上的衣服爛掉怎麼辦？」

Mook 看了一眼 Mahasamut，發現他身上的衣服確實和昨天一樣。

「那你幹嘛不說？」

「要是我說的話，妳就會幫我買了嗎？這也算秘書的職責之一？」

Mahasamut 的話讓 Mook 握緊了拳頭，所有人好像全都誤解了她的工作職責。

「不……」

就在這時，也許是聽到了對話的 Tongrak 打開了門，對著準備反駁的 Mook 發話：

「Mook，明天去幫 Mahasamut 買衣服。」

「什麼？」

「如果妳不去買，那誰去？」

你為什麼不自己去買呢？為什麼不讓他自己去買呢？為什麼要我去呢？

雖然 Mook 心中浮現了很多問題想回嘴，但 Tongrak

似乎看出了她的想法。

「那份協議裡寫著妳必須照顧 Mahasamut 的生活起居，還是妳要讓我自己去？」Tongrak 揚起眉毛，讓 Mook 張大了嘴巴。

「那就這麼定了。還有 Vi，如果妳想回去的話就請便吧，我累了。」作家看了好友一眼，交待完所有事情後，關上門準備回房。

「請稍等一下。」Mahasamut 連忙阻止他，讓 Tongrak 轉過身看他，「我還需要內褲。」

他的話才一落下，Mook 就連忙對天祈求，希望老闆不要將這差事也交給她。

「妳聽到了吧，Mook？順便買吧。」

神明似乎不站在她這裡，只見那個獲得本年度最卑鄙老闆頭銜的 Tongrak 轉身回了房，留下 Khaimook 獨自一人可憐自己。Vi 走了過去拍拍她的肩，用同情的語氣說：

「我明天有空，可以陪妳去。」

「不了，我以前幫 Rak 哥買過應該沒關係，不能和 Vi 姐一起去。」

Mook 為自己的遭遇發出了無聲的吶喊，而 Mahasamut 只是用難以理解的眼神看著 Tongrak 的房門，正好被站在一旁的 Vi 全收進眼裡。

看來你逃不掉了，我的朋友。

明顯不是一方面的單相思，對吧？如果你真的不在乎，為什麼一聽到對方說沒衣服穿就立刻出面？

呵呵，我的朋友，你真的完了。

就在 Vi 將 Mook 帶走後，Mahasamut 走進客房洗了個澡，身上只穿著一件舊褲子的他，來到 Tongrak 門前敲了敲，接著扭開門把。

「我沒說你可以進來。」

那個自稱累了的人，此時靠在床頭滑手機。

「但你也沒說不讓我進去。」

Tongrak 嘟起嘴，目光仍盯著手機螢幕，沒有阻止 Mahasamut 在自己身邊坐了下來，那雙銳利的眼始終停留在 Tongrak 臉上。

「⋯⋯」

「⋯⋯」

室內一片寂靜，只剩冷氣運轉和 Tongrak 按螢幕的聲音。

「有什麼事嗎？」房間主人最終還是放下了手機，轉過頭對上男人的視線。

「這樣好多了，難道沒人告訴你說話的時候要看著別人的眼睛嗎？」

Tongrak 眉頭輕皺，男人舉起雙手做投降狀。

「我想談談協議內容。」

「太少了嗎？」

如果錢不夠的話，那要多少錢？

「不，這不是錢的問題。」Mahasamut 打斷了他，讓 Tongrak 更加好奇。

Tongrak 讀過這份協議書，當中的內容並沒有什麼明確注明自己付錢換取性方面的需求，儘管 Mook 沒有直接寫出來，但那句「按照 Tongrak 的意願行事」，其實就足以涵蓋全部。

Mahasamut 沉默了一會，接著說：

「以我這個文化水準不高的人所能理解的，我們之間就只有協議，沒有其他，是嗎？」

「聊到這裡就夠了。」Tongrak 手指戳了戳男人堅硬的胸膛，語氣不悅，「為什麼你要這麼問？我告訴過你我不相信感情，而且我也不在乎。我甚至不認為愛情是存在的，我們之間就只有上床的關係而已！」

他一口氣把這長串話飆出來，而 Mahasamut 則一臉平靜。Tongrak 看到對方臉上那種表情時，內心有些後悔，男人此時握住自己的手。

「我知道你不相信愛情，但是……」握著他的手變成了十指交扣，Mahasamut 繼續說：「我沒有說我不相信。」

Tongrak 明顯一愣，注意到那雙深邃眼眸裡認真的神色。

「你可以在協議寫下任何你想要的條件，不管是你要付給我的錢或是我必須做的事，但有件事是你無法決定的，在這份協議生效之前，我想告訴你──」Mahasamut 用極

度嚴肅的口吻開口,「你不能阻止我愛你。」

「……」

Tongrak 找不到自己的聲音,只能無助地看著對方的雙眼。他打從出生就沒遇過這樣的事,從來沒人對他說過……會愛自己。

他的困惑讓 Mahasamut 輕笑,俯身親了親他的額頭,大掌摩挲著他的臉頰。

「晚安。」

Mahasamut 轉頭起身,身後傳來了布料摩擦的聲音,伴隨 Tongrak 堅決的喊話:

「但我永遠不會愛你。」

走到門口的男人回頭看向那個臉上依舊帶著困惑的Tongrak。

「是的,但你也阻止不了我。」

正當他準備走出去時,又像是想起什麼似地轉過身。

「哦,我忘了告訴你一件事:我不管做什麼事都會很認真,這是我的原則。」

他喜歡 Tongrak 那無助又困惑的眼神,很想走過去親住他,但現在還不是時候。他希望自己的話能深埋在對方心裡,而不是只記得他們過往的性愛關係。

「我會讓你改變主意的,晚安。」

Mahasamut 說完後便離開,留下 Tongrak 在原處。

Tongrak 倒在床上,摀著自己不受控制狂跳的心臟,閉上了雙眼,試圖理解男人所說的話。

難道 Mahasamut 剛才是想說⋯⋯他會讓自己愛上他嗎？

「你不能強迫我。」他喃喃自語，將臉埋進被子裡。

不可能，永遠也不可能，那個人不知道他經歷過什麼事。

Tongrak 長這麼大了一直認為愛情是個詛咒，所以他不會相信愛情。

他永遠忘不了母親傷心生氣的樣子、Khwan 被男人拋棄而發瘋的樣子，還有那些來自親戚們鄙視的眼神。那樣的痛苦他永遠不會忘記。

他還記得姊姊在他懷裡哭泣時所說的話：

「我會留下孩子，不管別人怎麼說，我都要把孩子生下來。」

Meena 是在最糟糕的情況下出生的，幸運的是他姊姊將滿腔的熱情轉換成母愛疼寵孩子，也讓 Meena 有了深愛她的母親、舅舅和外婆。

但那是家族的愛情，不是⋯⋯

他有成千上萬的理由可以把那個自命不凡的男人趕出他家，但他卻做不到。

Tongrak 不知道為什麼自己心跳得這麼快。他不明白這是什麼樣的感覺，只知道他很不喜歡。

「Vi 姐不必陪我來的。」

「我不是陪妳，我只是無聊。」

「……」

Mook 眨了眨眼，難以置信地看著面前的女人。

她的意思是，打從開車到她家接人，然後再一起來購物中心，接著再走路去服裝店的種種行為，全都是她想消磨時間而已？

「那……妳為什麼不休息一下呢？妳不是說拍戲很累嗎？」Mook 還記得 Vi 以拍戲太累為由要求自己幫忙整理房間，為什麼她還要跟著一起來？

「過去是過去，現在是現在。」Vi 藏在名牌太陽眼鏡下的視線和 Mook 對上，臉上甜美的笑容會讓許多男人為之拜倒。

Mook 移開了視線，忍不住小聲咕噥：「而且還穿成這樣，深怕別人不知道妳是明星嗎？」

Mook 穿著牛仔褲和 T 恤，而 Vi 則穿著合身的牛仔褲再搭上短版 T 恤，露出模特兒般的姣好曲線，就算戴著口罩和墨鏡，身材的優勢也明顯可見。

「我不打算掩飾我是明星。」Vi 反駁。

這也就是為什麼 Mook 不想和她走在一起的原因。Vi 捉弄她的感覺像是在紓壓。

新聞總說 Vi 是個傲慢、脾氣暴躁又任性的人。她確實很任性，也沒什麼其他可取的優點。

但 Mook 不懂為什麼 Vi 老是會和花邊新聞扯上邊，她

確信 Rak 哥和 Vi 一點關係也沒有，因為她知道他們在 Vi 成名之前就認識了，要是有什麼的話，早就是交往關係了。

女孩緊抿雙唇。

如果 Rak 哥出去和男人玩得開心，Vi 也會跟他分享自己和其他男人的事。

這是人們不喜歡她的原因嗎？

陷入沉思的 Mook 猛一個抬頭和 Vi 的視線對上，連忙又別過頭去。

別動搖，Vi 不喜歡女人。

她在內心重複了這件事，加快自己的腳步。

「Rak 哥說要在那間店買十套衣服，不知道是不是希望讓那男人穿到下輩子。」Mook 改變了話題抱怨著，Vi 則跟在她身後。

「也許是希望對方留在這裡久一點。」Vi 笑笑地開口。

Mook 聞言猛一個轉身。

「妳覺得 Rak 哥會愛上那個男人嗎？」

「我不知道什麼時候，但也許會。」

「Vi 姐！」Mook 難以置信地喊叫，而 Vi 只是聳聳肩。

「我說實話時，妳就不相信。」

Mook 嘆了口氣，隨手拿了件男人襯衫。

「妳確定要買那個嗎？」Vi 開口問。

「為什麼不？我總是買這個。」

「給 Mahasamut 穿？」

她看了看手中的襯衫，那是一件白色緞面襯衫，穿在

Tongrak 身上很適合，會突顯他的魅力和氣質，但只要一想到這樣的衣服穿在 Mahasamut 那個肌肉發達的男人身上，她就忍不住打了個哆嗦。

「我來幫他選吧，妳知道我很擅長選男裝。」

儘管 Vi 那副好像對男人很熟稔的語氣讓 Mook 內心有些刺痛，但對方抓住她的溫暖手感，又讓她不由得心跳加速。

她應該要開心還是難過？ Mook 看著兩人十指交扣的手，內心有些不知所措。

「Vi 姐快放下！不要這樣！」

當 Vi 拿起一條男用內褲詢問她應該買哪個尺碼，讓 Mook 害羞地忍不住在店裡大喊。

「我要買下所有的尺碼。」得不到答案的 Vi 只好如此決定，不顧似乎已經認出她的店員投來的奇怪眼神。

如果哪天有新聞報導一位知名女明星外出大買男人內褲，那 Mook 絕對不會意外。

然而，這件事並不是被記者撞見，卻是被另一名站在不遠處暗自偷看的女子撞見。她們兩人一離開店裡，女子就衝上前詢問店員。

「剛才那兩個人買了什麼？」

雖然很疑惑，但店員還是告訴了她。

女子聞言眼前為之一亮，她得到了一些有用的資訊。

自從 Mahasamut 宣布會讓他改變主意的那天後，已經過去了整整一天。Tongrak 選擇無視他的存在，就算 Mook 把好幾套男裝全都放在客廳裡也不怎麼關心。

Mahasamut 將這一切看進心底，協議明明是說 Tongrak 要照顧他，怎麼現在全都交給旁人去做？一下子是 Vi 一下子是 Mook。他該想個辦法對付他的貓了。

Mahasamut 敲了 Tongrak 工作室的門，那個漂亮的男人工作了一整天，現在已經下午三點，十一點多就起床的他至今仍滴水未沾。

「協議上有說，我工作時不要打擾我。」

好吧，那人此時又在他們之間築起了一道牆，只要他前進一步，對方就會後退三步。Mahasamut 真想把他綁起來。

看著那個沒有停下手邊動作的人，由他的電腦螢幕可以看出對方並沒有新的進度，既然看起來不像在忙的樣子，Mahasamut 就大膽地站到他身後去。

「你在幹什麼？」

「檢查中文的翻譯合約。」

「很急嗎？」

「是的。」

「但我聽 Mook 說是寄給你檢查，如果沒什麼問題的話，下星期才要簽約。」

Tongrak 停下動作，回頭看那個面帶笑意的男人。

「Mook 送衣服來時，我正好聽到她這麼跟你說。」

Tongrak 聞言緊抿了雙唇。

Mahasamut 選擇不再追問下去，而是直截了當地開口：「我餓了。」

「那你就去吃點東西，跟我講幹嘛？」

「你家什麼都沒有，冰箱裡只有酒。」男人再度笑笑地說，「沒辦法填飽肚子。」

「那就叫外送。」

「手機沒電了。」

「那就拿我的手機。」

正當 Tongrak 拿手機點開外送 APP 時，Mahasamut 壓下了他的電腦螢幕，語氣懇求：

「我們一起出去吃個飯吧。」

「我不餓。」

「但協議提到你必須照顧我的生活起居。」

「……」

「我現在餓得要死呢。」

Tongrak 又再度緊咬下唇。

男人在內心暗自竊笑，臉上仍維持正色。

「你不餓但我餓，我們去吃個飯吧。」

「……」

「好嘛，拜託你了。」Mahasamut 又再度懇求。

Tongrak 的心軟妥協讓他覺得太有趣了。

Episode 15

買來的男人
變成了爸爸

位於市中心的一間知名購物商場內，兩名年輕人並肩走在人滿為患的通道上，吸引了不少人的目光。

皮膚白皙的男人一身名牌 T 恤搭配牛仔褲，顯露出修長的雙腿，他還戴著名牌太陽眼鏡，非常引人注目。

或者，大家也在意站在他身邊的人。

男人身材高大、肌肉發達，現在的他已經沒了船夫的姿態，黝黑的皮膚使臉部線條添加了棱角，當 Mahasamut 身著緊身 T 恤時，手臂上的二頭肌吸引了相當多的視線。

Mahasamut 畢竟被稱為島上的寶藏，寶藏不會因地點轉換而喪失原本的價值。

但此時的 Tongrak 卻相當煩躁。

他應該要為自己買到一個好男人而自豪，為什麼他會這麼不喜歡周圍人投來的貪婪眼神？

這個男人是他的！

Tongrak 為自己找了個理由，他只是不喜歡和別人分享東西。他有些鬱悶地看了一眼 Mahasamut 身上的 T 恤。

是誰買了這件衣服給他？

這是一件知名品牌的衣服，但樣子太過樸素。

雖然他不喜歡別人的眼光，但還是想讓身邊的男人穿上更有型的衣服。如果 Mahasamut 穿上剪裁合身的西裝或是休閒西裝外套再搭上合身牛仔褲，再穿上自己喜歡的名牌皮鞋，應該會十分帥氣。

眼見 Tongrak 陷入了自己的沉思，Mahasamut 停下腳步，轉身看他。

「你還要出神多久？」男人半開玩笑地問。

「你不是餓了嗎？走吧。」Tongrak 的思緒被拉了回來。

「你看起來像是想用眼神脫光我的衣服。」

「……」

Tongrak 看了他一眼，轉向另一個方向，改變了話題。

「餐廳在另一邊。」

他絕對不會承認自己在想什麼。

Mahasamut 笑笑地跟了上去，儘管很喜歡對方那個盯著自己看但被抓包而改變話題的糗樣，但現在的他沒有發表意見的權利。

「你想吃什麼？」

Tongrak 選了一間提供泰國各地美食的豪華泰菜餐廳，店裡擺滿了泰國特色裝飾品，看起來一點也不傳統，反而給人奢華及現代的感覺，年輕的主廚甚至在菜單上點綴金島圖案，增添了時尚美感。

儘管 Tongrak 偏愛法國料理及紅酒，但他更喜歡泰式料理，在國外念書的那幾年，他都會尋找當地好吃的泰國餐廳。幾年後他才發現，自己最喜歡吃的是 Connor 繼母 Gew 所做的泰國菜。

這同時也是自己為什麼和 Connor 感情更好的原因。

他走進了泰菜餐廳，開口問那個喊著肚子餓的男人想

吃什麼。

Mahasamut 翻遍了菜單，內心懷疑這些是否真的是泰國菜。菜單被分成了前菜、主菜，甚至還有甜點，每個主題都還有成分列表，但名字實在是太長了。

男人眉頭輕皺，「Mahomangon Karbkaew Somsohai Wangsaranrom」到底是什麼東西？

「我要蟹黃餃子、義式香草烤蝦沙拉、皇家廚房沙拉、Nang Loi 咖哩和一些白飯，你呢？」Tongrak 點完自己喜歡的菜後，看向坐在一旁的男人。

Mahasamut 回看了他一眼，接著闔上了菜單。

「你點就好，我什麼都可以吃。」

Tongrak 本想說些什麼，但又再度閉上了嘴巴，他沒忘記旁邊已經有一位服務生正等著他們的點餐，於是他又多點了幾樣。

點餐結束後，等工作人員離開，他才看向 Mahasamut。

「我不知道要怎麼點。」還沒等他開口，男人就率先坦白，還加了一句讓 Tongrak 眉頭輕皺的話，「很抱歉讓你難堪了。」

「誰讓你有這樣的感覺？剛才的服務生？」一想到有人用歧視的眼神看著他的人，Tongrak 就忍不住怒意橫生。不管是誰都不能批評 Mahasamut，他的人只有他能批評。

Tongrak 沒意識到自己用了幾次「他的人」這個詞。

Mahasamut 抓住了站起身的 Tongrak，連忙問：

「你要去哪裡？」

「我要去找經理。」

「為什麼？」

「因為我不喜歡有人輕視你，就算你以前沒有來過這樣的店，也不應該受到這種對待。每個人都有第一次，更何況你是客人！我要去找他們經理談談。」

「不用，你不需要這麼做。」

「放開我，Mahasamut！」Tongrak 試圖拉開他的手，但大掌只是順勢滑落並扣住他的手指。

「你笑什麼笑？」

男人臉上的笑容讓心情煩躁的人更加不開心。

「我很高興。」

Tongrak 眉頭輕皺，不懂他有什麼好開心的。

「要是你不在乎我，就不會這麼生氣。」

「我當然在乎你……」在意識到自己脫口說了什麼時，Tongrak 倏地停了下來，蜜色的雙眼看著滿臉笑意的男人，不知道該尷尬還是憤怒，對方的樣子讓他再度坐回座位。

Mahasamut 沒有再多說什麼，只是看著他們緊握的雙手。他將手握得更緊，暖意傳遍了 Tongrak 全身，也讓他的怒火得到安撫。

「我真的沒事。我沒來過像這樣的餐廳，你知道我常做的事就是出海、捕魚、潛水，不理解菜單的內容也是很正常的。但即使如此，我還是很高興。」

Tongrak 聞言又再度生氣地看向他。

「你瘋了嗎？為什麼要讓別人輕視？他們沒有權利……」

「因為已經有人幫我生氣了。」

Tongrak 再度閃避他的視線，低咒一聲後，抽回了自己的手。「至少今天你並沒有無視我。」Mahasamut 再度拉回他的手。

「我沒有無視你。」他小聲地咕噥，拒絕承認。

「哦？」男人拉長了尾音，「你不跟我說話，不讓我進你的房間，躲在書房裡不吃我買給你的食物，」Mahasamut 搗住胸口一副很受傷的樣子，「我的心很脆弱的，你知道嗎？」

「你？脆弱？你不是說自己臉皮厚，做什麼都可以嗎？」

「我確實臉皮厚。」男人輕聲地開口，將手臂支撐在桌上，就算兩人距離沒拉近，但作家仍然感覺得到他的視線。

那銳利的雙眼彷彿直穿他的心靈。

「對著我喜歡的人脆弱，不對嗎？」

他的話讓 Tongrak 感覺很糟。

「但我不喜歡你。」

這句不像是想告訴 Mahasamut 的話，反而比較像是 Tongrak 的自我告誡：他不會愛上任何人。

兩人四目相接，好似想要讀懂對方的想法那樣，Mahasamut 那雙銳利的眼睛讓 Tongrak 有些不舒服。

「抱歉打擾了。」

就在這時，第一道開胃菜被端了上來。Mahasamut 移開視線，坐直了身體，他的動作讓 Tongrak 鬆了一口氣，急忙改變話題。

「吃看看吧。」他看著將食物送進嘴巴裡的人,「怎麼樣?」

「這個很好吃。」

Tongrak 原本以為他會被自己的話題帶走,然而男人接下來的話又讓他有些喘不過氣。

「關於剛才討論的事,只是……還沒有。」

Tongrak 不解地看他,手中的湯匙停在半空。

「你只是,還沒有喜歡上我。」

不需要多解釋,像 Tongrak 這樣的作家能明白 Mahasamut 話中的意思。

還沒有……不是現在……而是未來。

「快點吃飯吧,不是說餓了嗎?吃完就可以回去了。」

Tongrak 理解越多就越是心慌,他將盤子推到他面前,不想承認自己心跳飛快,也不想承認自己因為對方的話而動搖。

但他並不像往常一樣生氣,反而還有些……開心。

他肯定是瘋了。

Mahasamut 沒有錯過那些可愛的小動作,臉上也跟著露出笑容。

「你在對誰笑?為什麼不對著我笑?」

Tongrak 轉過身,對他扮了個鬼臉。

「那麼,你可以接受我的說法嗎?」

「我也是人。」Tongrak 雖然接受被取笑,但事已至此,他也不想再偽裝。

「是啊，是人類，怎麼可能會是別的？你也多吃一點吧，太瘦了。」

當 Mahasamut 將食物遞到嘴邊時，Tongrak 張開了嘴接受他的投餵。要是被認識的人看到肯定會嚇一跳，畢竟不要說被投餵了，Tongrak 連大餐都不曾出來吃過。

他想和別人一起共進早餐，不僅僅是進食，也必須是一頓開心的早餐，甚至是特意挑選的豐盛大餐。

這男人是他的，他想幹什麼是他的自由。

一旁，他調成靜音的手機有了反應，螢幕上出現了來電者：「來自地獄的人」。

「我想回去了。」

「等下就可以回家。」

「我現在就想回去。」

「那你先走吧，要是我迷路的話，就去請服務人員廣播讓作家 Tongrak 來找我，那麼就算你走了，應該也有一、兩個人能送我回家。」

Tongrak 不想留在這裡面對週末在商場聚集的人潮，Mahasamut 也沒有身體力行阻止他回家。

但要是 Tongrak 真的走了，他的名字可能就會被廣播出來，這也不是他所樂見的事。

「你是故意惹惱我的嗎？」

「哦，原來你知道啊？我的老闆真聰明。」男人不打算否認。

此時的 Mahasamut 推著購物車正在超市裡採買。

他走在前方，Tongrak 則跟在後頭，男人拿起一包物品看了看價格，接著搖搖頭。

「一包蔬菜六十銖？我家附近只賣十銖。」

「六十銖的蔬菜是有機的。」

「我知道這種產品價格很高，所以……」

「所以？」

「我們去菜市場買菜吧！」

Tongrak 眉頭輕皺，瞇細了雙眼，隨時準備要發飆，就在開口之前，Mahasamut 打斷了他。

「但你應該不會想跟我去，也不會坐在車裡等。」

「你很清楚嘛。」

「好吧，那我這次就妥協，當成是我們的第一次約會吧。」

「你說什麼？」

至少這個男人知道他不想在大熱天裡到處閒晃，只是最後的那句話又讓 Tongrak 猛一個轉過身。

他剛才似乎聽到了「約會」這個字眼？

「我說我會妥協。」

「不，最後一句。」

男人銳利雙眼裡有著興味，嘴角勾起一抹弧度。

「我們正在約會，不是嗎？」

「誰和你在約會？」Tongrak 忍不住反駁。

「哦，和感興趣的人一起共度時光，難道不算約會嗎？我們一起吃飯、一起購物，如果再加上看電影的話，就是完美的約會流程了。難道我誤會了什麼？或者 Tongrak 先生願意解釋，我們現在是在做什麼？」Mahasamut 揚起眉毛一臉無辜看著他，就像小朋友想從父母那裡得到答案的樣子。

這傢伙真是幼稚。

Tongrak 也不甘示弱地反駁：「只是一起吃飯和購物根本不算什麼，為什麼非要下定義呢？」

「但我昨天讀了你的小說，裡面提到這樣就是約會啊。」Mahasamut 甚至引用了 Tongrak 的書來佐證自己的想法，「還是──我得吻你才算約會？」

「喂！」

男人話語甫落便湊向前來，令 Tongrak 忍不住往後退了一步，瞪大了眼搗住嘴巴。

「你想幹嘛？」

「我只是要拿高麗菜而已。」男人的大手伸向 Tongrak 身後。在意識到自己被戲弄後，Tongrak 看起來馬上要噴火了，「還是你想讓我吻你呢？」

銳利的雙眼對上作家的視線，揚起眉毛有如挑釁般，Tongrak 發誓絕對不會挑戰這個眼神，因為他終於認清一件事……他的男人相當厚顏無恥。

尷尬不已的 Tongrak 用力地撞了他的肩膀，接著搶過

了手推車。

「你要買什麼就趕緊買吧，我要回去工作了。」他丟下這句話後便快步向前，站在他身後的男人則滿臉笑容。

那人明明很害羞，卻老是不肯承認哪。

「這個不行。」

「啊？」

「這個也不行，鈉含量太多。」

「啊？」

「不是這個，家裡冰箱已經夠多了，你想死於肝衰竭嗎？」

原本邀請 Tongrak 一起繼續購物的 Mahasamut，此時卻像是和對方互換了角色那般。

Tongrak 一直將想吃的東西放進購物車裡，但 Mahasamut 總以不適合為由又拿出來，直到第三次時，男人不得不把一手啤酒再度放回原處，惹來作家大大的不滿。

「你不能只靠零食和酒精過活。」男人一臉平靜地說。

「這是我的事。」Tongrak 伸手準備把酒拿回來。

「不行。」Mahasamut 抓住了他的手，提高音量，「自從你回到曼谷後就晚睡晚醒，三餐不正常還只吃咖啡、零食和酒，難怪你的冰箱裡只有酒。再這樣下去，你會英年早逝。」

　　Tongrak 原本還想爭辯，在看到對方的眼神時靜了下來，沉默不語。

　　他不是那種會屈服於別人的人，也不會在意別人給的建議，但當他看到那雙平常總是開朗的眼神變得嚴肅時，Tongrak 就會忍不住妥協。

　　「我不想英年早逝，但這是我的生活……」

　　「讓我照顧你的生活。」Mahasamut 的話讓 Tongrak 閉上了嘴。高大的身影朝他走近，用安撫的語氣繼續說：「我不知道你以前過著什麼樣的生活，但我不想看你賺的錢將來全拿去治病，也不想看到你吃藥，至少我在這裡照顧你的這段期間，我不會讓這樣的事情發生。」

　　他並沒有定義為一輩子，只是如果可以，他想繼續照顧下去。

　　但現在不是說這個的時候，否則有人可能會直接調頭跑掉。當務之急是解決他紊亂的生理時鐘。

　　男人大掌輕輕摩挲 Tongrak 的臉頰，安撫著他，讓 Tongrak 本人也逐漸軟化。

　　「我的生活習慣沒那麼糟糕。」Tongrak 不認這點。他去島上之前只是每天早上都會宿醉而已。但他不得不承認，有人關心的感覺還挺不錯的。

　　Tongrak 還不想承認自己已心軟，也不認為自己聽從了男人的建議，他不想承認自己比想像中還要聽話。

　　「確實不是很亂，你只是……」Mahasamut 將手伸向他的頸項，對上了他的視線，笑笑地開口：「年紀比較大。」

「Mahasamut！」

原本溫馨的氣氛被這句話破壞殆盡，Tongrak 不悅地喊了他的名字，撥開了他的手。

「你居然敢說我老？」

「你就承認吧，年紀真的不小了。」

「我不老！」

「好啦，接受現實吧，還好你的臉看起來很年輕。」Mahasamut 安慰著，但聽起來都像是矯揉造作之詞，Tongrak 舉起手摸了摸自己的臉。

男人見狀一笑，接著問：「你現在接受了嗎？」

「你除了咒我住院或早死、批評我老，還想做什麼？」Tongrak 覺得自己把他帶回曼谷是錯誤的決定了，這人是不是忘記求自己留下來時做了哪些混帳保證？

他現在深感後悔了，為什麼要買這樣的人回來？

男人面帶笑意，朝他走了過去。

「讓我來照顧你吧。」

那個內心萌生撕毀協議念頭的人，眼睜睜看著走近的男人，當他意會對方想表達的意思時，雙頰一陣灼熱。

「我會照顧你到老。」

而 Tongrak 也只能再次重複：

「胡說八道。」

丟下這句話的他便推著購物車快步離開了，後來見Mahasamut 把車上的零食全換成新鮮的蔬菜和肉類也沒有再抗議，甚至不介意對方說要幫他煮飯。

要是被 Mook 聽到，她應該會很崩潰。

她可能會哭著說：「我煎雞蛋給你都不吃。」

Tongrak 可能只會回覆：「好吧，因為妳不是讓我心動的人。」

他再次沒有注意的是：有個人關心他、斥責他、照顧他並不困擾，相反的，他感覺很好。

也許 Tongrak 只是渴望著某個人。一個陪在他身邊、告訴他什麼可以做什麼不能做的人。

作家因為心情很好，沒有注意到自己手機正震個不停。

「我告訴過你，我不吃辣的。」

「我知道，你只吃了一口咖哩魚湯就喝掉一瓶水。」

讓人難以置信的是，他們在超市買完東西後，Mahasamut 哄著 Tongrak 開車停在附近的市場前，因為超市裡沒有他要的東西。雖然車子的主人坐在車上等，但這也算是個明顯的進步，讓那個習慣奢華生活的人有了不同的體驗。

他們買好所有東西後直接回家，將車停在停車場，拎著大包小包走進了大廳。

拎東西的任務當然落在 Mahasamut 身上。

Tongrak 可沒忘記有人說過他會煮飯。

那個不擅長吃辣的人只要一碰到辣就會紅臉，Tongrak

大概也能想像出自己的樣子。

Mahasamut 沒停下調侃這點，而另一個人只能無力地反駁，這樣的畫面全落入了一個坐在大廳裡的女子的注意。

「Rak 哥，你為什麼不接 Prin 的電話！」

一見到 Tongrak，她拎著名牌包快步地走了過來。

原本還和 Mahasamut 有說有笑的 Tongrak，一看到對方出現明顯一愣，至於他身邊的 Mahasamut 則一臉好奇地看著眼前的景象。

Tongrak 臉上浮現煩躁，但那女子似乎沒注意到。她正想親密地挽起 Tongrak 的手臂時，卻被他閃開。

「有什麼事嗎？」

那個叫 Prin 的女子先是一愣，接著露出了一個甜美但看起來一點都不真誠的笑容，然後用甜膩的聲音開口：

「你為什麼是這副表情？你的妹妹來看你了。」

「對不起，我只有一個姊姊，沒有妹妹。」

一般來說，如果被表哥 Tongrak 這麼冷漠對待，依 Prin 的個性早就生氣了，但這次身材嬌小的美女卻笑得很甜，根本不在意表哥一副拒人於千里之外。

反正她不是來聊天，是來觀察敵情的。

「那人是誰，你的新僕人嗎？看起來有點像鄉下人。」

她的表哥自稱個性和他母親不同，但在她看來，根本一模一樣。

母子兩個都喜歡用錢去得到想要的人。

所以她很好奇，那個新歡到底有多厲害！

Episode 16

來自地獄的人

「那人是誰，你的新僕人嗎？看起來有點像鄉下人。」

年輕女子 Prin 看了 Mahasamut 一眼，一臉嫌棄，接著轉身看向那個讓她更鄙視的人，露出一抹笑意。

Tongrak 的男人能有多厲害？

她光看就有了結論。那人皮膚黝黑、外表就像個工人，真沒想到 Tongrak 的品味這麼糟。

Prin 忍不住露出嘲諷的笑意，她一直很想親眼目睹這個傲慢的表哥不幸的樣子。前幾天她路過百貨公司，撞見 Mook 和那個滿嘴髒話的女明星時，直覺告訴她有些不對勁。那兩人看起來似乎處得不太好，而兩人唯一的共通點是 Tongrak，但他不太可能穿她們買的那些衣服，於是她跑去詢問工作人員，便猜到了事情的大概。

像 Tongrak 這樣的少爺不太可能穿那些款式，而且尺寸還比平常大，顯然是買給別人穿的。

既然 Tongrak 不接她的電話，她只好親自來看看囉。

事實證明她的想法是對的，這一切應該會很有趣。

Prin 對上了 Tongrak 的視線，今天她一定要好好給對方難堪。

「妳今天是不是很閒？」

「是的。」

「哦，那真是太讓人羨慕了。」Tongrak 點點頭，嘆了口氣，「最近我工作很忙，沒有多餘的時間，很羨慕那些閒閒沒事瞎攪和別人事情的人，要是我有空的話，就會在家休息，或者……想辦法增長點見識，而不是來這裡證明

自己腦袋空空。」

「Rak 哥！」

「是不是戳中妳的痛處了？」Tongrak 面露微笑，往她靠近了一步。

女孩試圖不示弱地瞪回去。

「到底是誰教你這麼沒有禮貌，侮辱一個來探望你的妹妹……」

「我說了我沒有妹妹。」Tongrak 打斷了她的話。

Tongrak 臉上已經沒了笑意，只剩深棕色的雙眼盯著她看。平常他的雙眼是如此迷人，此時卻讓人畏懼。

「不管我和誰在一起，都是我的事。」

他的眼神像是在警告她不要多管閒事。

但 Prin 沒有退縮，反而挑釁地抬起下巴，露出一抹微笑。

「身為你的親人，我只是在擔心你，不想讓你毀了你自己的名聲。你也知道阿姨的樣子，做為她的外甥女，我很擔心。」

Tongrak 一聽到自己的母親被提及時臉色一沉，Prin 見狀一笑，眼底有著憐憫，畢竟那個醜聞人盡皆知，實在是太丟臉了。

「Prin 看阿姨那樣生活很辛苦……所以不希望 Rak 哥和她一樣，如果你被別人說和她一樣，那我們家的形象……」

「Prin。」

「是的，Rak 哥？」

「妳男朋友還好嗎？」Tongrak 的問題讓 Prin 輕笑出聲。

「你現在是轉移話題嗎？」

「不是，既然妳提到了我們家的事，那我也只是感到擔心才問的。」

Prin 不解地皺眉。

「擔心？有什麼好擔心的？」Prin 反問，難道 Tongrak 勾引了她的男友？她男友告訴自己對男人不感興趣，所以應該不是這方面的問題……雖然她也見過不少直男對她的表哥有興趣。

「聽說是幾千萬。」Tongrak 面露鄙夷。

「你在說什麼？」

「聽說妳給了那傢伙……幾千萬。」

「你想說什麼？」

Tongrak 靠近了她，像他這樣的人從來不怕惹麻煩，如果她想要戰，那就儘管放馬過來。

「還是多花點時間擔心自己吧。」

「我沒什麼好擔心的！要不要給他錢是我的事，不關你的事。」

「聽說他快破產了。」

「這不是真的！」

「隨便妳信不信。」Tongrak 聳聳肩，「他是怎麼告訴妳的？事業很順利，妳也會得到回報？再給他一點時間，相信他？」

在看到 Prin 臉色變得蒼白時，他輕笑出聲，接著繼續說：「就在上個月，我還看到他跟別的女人鬼混呢。」

到底誰才是真的傻瓜？

Prin 的臉色由原本的蒼白漲成了深紅，看來很快就會變成鐵青。

「妳到底知不知情？還是像個傻瓜一樣無條件相信他？」

「這不是真的！」

「妳只會講這句話嗎？我不是告訴過妳，在多管閒事之前先充充腦袋裡的見識。」

「Rak 哥是在羞辱我嗎？我會告訴我媽還有阿姨，你對我說了這些話。」

Tongrak 臉上的笑容消失，用冰冷的眼神看向女孩。

「我只是稍微關心一下妳就生氣，不過妳說得沒錯……」他拍了拍她的肩，彎下腰與她的視線對上，「我們一家子確實都沉溺於男人。」

「我不一樣，我從來沒有在男人身上花過錢！我男友只是借，他說過會還。」

「哦？」Tongrak 挺直身子退後，站到 Mahasamut 身邊，勾住了他的手臂，「確實不一樣。因為我看男人的標準比妳高上許多。」

語畢，他便拉著 Mahasamut 往電梯走去，不再理會那個握緊拳頭的女子。

Mahasamut 回頭看了年輕女子一眼，再看向站在身邊

的人，眼裡浮現擔心。

Tongrak 大概沒意識到他握住自己手臂的力道有多大。

一回到住處，Tongrak 就直接走進房間並用力關上門，完全不在意那個跟在身後的男人。

因為他很生氣，就算他可以在那女孩面前反嗆，卻不代表他不會在意。尤其當她提到自己的母親時。

他從來不覺得自己會像他母親那樣為了愛情甘願向別人乞求，把自己弄得如此卑微、毫無尊嚴。

他確實是用錢買男人，那又何如？總比那個不知道自己男朋友在幹嘛的女人來得好吧？

另外，他並不愛 Mahasamut，所以跟別人做什麼都不關他的事。

他和母親不能混為一談！

只要自己不把心給 Mahasamut，他們就一點都不像。

Tongrak 站在落地窗前緊握雙拳，努力壓抑內心的憤怒，入目雖然是城市景觀，心思卻早已飄向遠方。

「Tongrak 先生……」這時敲門聲傳來，外頭的男人呼喚著他。

「走開。」

他聽到男人走進房間，不給他繼續開口的機會，立馬下了逐客令，連看都不看人一眼。

「我只是有件事想問一下……」

「出去！」

Tongrak 並不關心，他想要自己一個人靜一靜。

他的話讓 Mahasamut 無語了一段時間，房間安靜到 Tongrak 以為他已離開，沒想到對方居然還杵在原地。

「你還沒告訴我，你要吃什麼？」

Tongrak 聞言憤怒地轉過身，正當他準備朝著對方大叫時，卻對上了 Mahasamut 的眼神。他看起來很擔心自己。

為什麼他不像平常那樣開玩笑？

為什麼他看起來像是明白自己的感受？

沒有人能夠理解他！

「我叫你出去！」他再也克制不住地大喊。

「但你還沒有回答我。」

「……」

Tongrak 握緊了拳頭，感覺心火越燒越旺，並不是在氣 Mahasamut，而是在氣自己。

他不明白自己為什麼會想投入那個男人的懷抱，想讓他安慰自己，但 Prin 嘲諷的嘴臉仍在腦海中盤踞不去，讓他不敢輕易走向前，否則自己就真的像 Prin 所說的那樣，和他母親沒什麼不同。

「讓我走到你面前吧。」Mahasamut 懇求。

平時他不會提出這樣的要求，總是隨心所欲做自己想做的事，從來不聽抗議，向來是個隨意入侵私人領域的人。這次他卻只是站在門邊，等待著 Tongrak 的允許。

Tongrak 內心有些動搖，卻仍然強硬地開口：

「你聽不懂人話嗎？我叫你走！還是要我踢你出去？」

「……」

男人的沉默讓 Tongrak 轉過身去，他不喜歡這樣的沉默。

「我想自己一個人待著，滾離我的視線。」

蜜色的雙眼盯著落地窗外的雨滴，耳邊聽到關門聲響起，確定男人已經遠離後，他才走到床邊躺了下來。

他真的真的不喜歡這樣的感覺。

太陽在幾個小時前就落下，餐桌放著早就做好的泰式料理，然而房間的主人卻拒絕走出臥室，只留下那個準備好一切的男人獨自坐在桌旁。

Mahasamut 轉身看向那扇仍然緊閉的房門。

他走過去敲門，但沒有回應；他發了訊息，對方沒有讀；他很清楚這已經是他所能做的極限了。

Mahasamut 嘆了口氣，將食物放進冰箱裡。

老實說他想闖進房門，將那個固執的男人抱到桌子旁，強迫他吃飯，讓那個不懂得照顧自己的人知道還有人在關心他。但他也清楚如果真的這麼做了，對方心裡的傷口便會再度被撕裂，更別說這是 Tongrak 第一次威脅要把他踢出去。

他們的關係就像塵埃一樣脆弱，只要一點打擊就會破散。

今天的情況不是他可以隨意插手的，尤其是那雙受傷的眼神至今仍牢牢印在他的腦海裡。

Tongrak 曾經跟他分享過家裡的事，不管那個女人說的是否為真，都足以讓這個向來驕傲的男人深深被打擊，如果他再這樣將自己關在房裡，只會讓情況更糟。

Mahasamut 知道 Mook 不會回答他任何問題，但如果是 Vi 的話……應該能從她那裡找到突破口。

他猶豫了一會，雙眼盯著房門，接著按下了電話。

Tongrak 知道自己是一個以自我為中心的人，有時會蠢到被人利用，但從來沒像現在這樣難受。

他睡不著。不管多努力就是睡不著，但他在意的不是 Prin，也不在意她提過什麼，腦海縈繞著的是 Mahasamut 離開房間前說的話。

Tongrak 有些好奇，Mahasamut 會生他的氣嗎？

但另一個想法阻止了他。他為什麼要在意？為什麼要關心對方的想法？

於是他一直等到天亮才打開了房門。

昏暗的晨光下，Tongrak 站在空蕩客廳正中間，直視 Mahasamut 那扇緊閉的門。此時，一陣孤獨的感覺莫名襲

來，不管在島上或是這裡，他們兩人都是分房睡，偏偏就是眼前這扇門的距離，突然讓他有些害怕。

他不知道自己在害怕什麼，那個人和他明明沒有任何關係。

Tongrak 在內心暗忖，強迫自己走回房間，但餐桌上的東西卻吸引了他的注意。他打開了廚房的小燈看個仔細。

那是一盤用保鮮膜包起來的煎蛋飯，旁邊放著拉差辣椒醬和一張紙條。

紙條上寫著：這個不辣。

Tongrak 忍不住無聲輕笑。

他拿了叉子坐下，撕開保鮮膜，吃下了這輩子他認為最好吃的煎蛋，沒有添加任何醬汁。

這可能是他第一次明白用心製作的食物有多美味。

以前從來沒人為他做過這樣的事。

Mahasamut 今天起得很晚，可能是因為咋天晚上睡不好。當男人走出房間時，牆上鐘的時針指向了十。但讓人意外的不是他起得晚，而是 Tongrak 起得早。

他不僅起得很早，看起來已經穿好衣服準備要外出。

「去洗澡。」

「什麼？」

Mahasamut 才剛走出門，坐在沙發上看電影的人便轉

過身，重複了他的話。

「去洗個澡，我們要出門。」

「什麼？」Mahasamut 不解地再重複了問句。

為什麼 Tongrak 突然要出門？

「拿那個，那個，還有那個。」

Mahasamut 還沒能跟上作家驟變的情緒。昨天他還趕自己出房門，怎麼今天就把自己拖到這裡來了？

他們現在位於 Mahasamut 以往從沒機會踏入的豪華西裝店。

一踏進店裡，Tongrak 就開始吩咐店員拿來各式各樣的套裝，Mahasamut 連忙抓住那個正在拿義大利絲綢套裝的 Tongrak，讓對方回頭瞪了他一眼。

「幹嘛阻止我？」

「如果你是買給自己，我不會阻止，但你這是買給我的。」

Tongrak 正在為 Mahasamut 添購西裝。

像他這樣的人什麼時候才有機會穿西裝？更別說西裝貴得嚇死人，比一套潛水服還要貴。

「是的，我是買給你的。」Tongrak 堅定地回覆。

「為什麼？」Mahasamut 眉頭輕皺。

「為什麼？」

「因為我不想再讓任何人看輕你。」

男人聞言一愣，大手不經意鬆開了，讓 Tongrak 鑽了個空抓起另一套衣服。

「這個款式我還要另外兩個顏色。」

「嘿！」

Mahasamut 一把抓住他手上的西裝掛了回去，接著將 Tongrak 拖進了試衣間，關上了門，無視那些目瞪口呆的店員，他此時更在意眼前這個固執的男人。

誰說 Tongrak 不頑固的？看看他那挑釁的眼神。

「我要買，你阻止不了我。」

「因為你是我的 Sugar Daddy 嗎？」

Tongrak 明顯一愣。

Mahasamut 盯著那個一動也不動的人。

「你認同那個女人的說法嗎？」

「不，我從來沒認同過。」

「但你卻帶我來買西裝、試圖讓我轉換穿搭風格，你不喜歡來自南方島嶼的 Mahasamut，是嗎？」

Tongrak 原本想反駁些什麼，但在對上男人的視線後便沉默下來，而 Mahasamut 繼續以堅定的語氣說：

「我已經告訴過你了，Tongrak，我不在乎別人怎麼看我。如果有人要付錢買我的勞力，我也不會拒絕，因為我必須養活自己。但有件事我忘了告訴你……比起外人的眼光，我更在意的是我所重視的人的想法。」

Mahasamut 握住了他的手，「你看不起我嗎？」

「不。」

「你覺得我很可憐嗎？」

「不會。」

「你覺得我不夠好嗎？」

「不是這樣的！」

看著對方急著否認的神情，男人嘴角勾起一抹弧度，對他來說，Tongrak 能有這樣的反應已經足夠。

「我會在意你的想法，是因為我在乎你這個人。」

「……」

作家陷入沉默，雙眼低垂，緊抿嘴唇。

「而且……」

「而且？」Tongrak 不解地看向他。

「我不在意那該死的屁孩講了些什麼。」

「！！！」Tongrak 瞪大了眼，「你說什麼？」

「我不在意。」

「不，你叫她什麼？」

「該死的屁孩。」

「Prin 年紀比你大。」

「那又怎麼樣？像那種人通稱屁孩。」男人不以為意地聳聳肩。

「哈哈哈！」Tongrak 放聲大笑。

打他出生以來從沒聽過這樣的形容詞，但確實也如同 Mahasamut 所說，像 Prin 那樣的人就是不折不扣的屁孩。

彷彿被 Tongrak 感染了笑意，從沒看過他開懷大笑的

Mahasamut 也忍不住笑出聲，接著情不自禁地吻了他。

「！！！」Tongrak 低聲驚呼，「這裡是試衣間！」

他並沒有抱怨被親吻臉頰的事，反而抱怨這裡是試衣間。

「外面的人可能以為我們不是在試穿衣服。」

男人的話讓他雙頰飛紅。

「你當是在看小說嗎？想在試衣間裡做什麼？」

「我喜歡的人是作家，所以我也要有一點想像力啊。」Mahasamut 笑笑地說。

Tongrak 雙手環繞住男人脖子，臉上帶笑地湊近，直到兩人鼻尖相碰，才低聲地說：「那就試著想像一下吧。」

Mahasamut 無法抗拒這樣的他。

兩人的嘴唇緊貼在一起，Mahasamut 感受到對方壓抑的情緒，於是扣住了對方的後頸，加深了這個熱吻。

男人將舌頭探進了 Tongrak 的領域，交纏的熱吻聲迴盪在試衣間裡，大掌抓住他的細腰，讓他的身體更靠近自己。

Tongrak 不經意的細微呻吟讓 Mahasamut 再也忍不住，將手探進他的襯衫裡，指腹輕觸著那光滑細膩的肌膚。

「啊……」

就在這時，敲門聲響起。

「呃……客人還好嗎？」

兩人迅速拉開了距離，有默契地一起看向了門。外頭店員不確定的聲音惹得 Mahasamut 笑出來，但 Tongrak 臉

上卻寫滿不悅。

「我們等下就出去了。」男人對門外喊道，接著轉頭調侃面前的人，「他會不會認為我們是在吵架……或者做點別的事？」

「不管怎麼樣，我都不會讓他有奇怪的想法，」Tongrak有些生氣，「但得先幫你買套西裝。」

「啊？」Mahasamut不知道該怎麼反應。

「我不是看輕你，也不是在同情你，更不是想砸錢給你，就只是想報答你而已。」

作家咕噥的聲音再加上滿臉不自然的表情，惹得Mahasamut好奇地問：「報答什麼？」

「煎蛋飯。」

Tongrak丟下這句話後便試著將Mahasamut推出試衣間，突然覺得超級害羞，但對方卻不動如山，惹得他皺眉抬頭，對上了男人的視線。

「你知道最好的回報方式是什麼嗎？」男人伸出食指輕戳Tongrak皺緊的眉頭，「只要吃我做的食物就夠了。」

他們目前在外面，Mahasamut認為不該調情得太過放肆，但對方臉上的笑意卻讓他無法阻止自己的撩撥欲。

Episode 17

温暖的胸膛

「你想告訴我關於你的事嗎？」

「你不是跑去問 Vi 了？」

在 Tongrak 花錢買了三套西裝後，兩人終於返回了住處，理由是 Tongrak 先生不想浪費冰箱裡的食物。

這個可愛的理由固然只是藉口，畢竟像他那樣的人哪會在意冰箱裡才幾百泰銖的東西？或許真正的原因是他想跟某人賠罪。

雖然他聲稱自己不在乎，還是心甘情願吃了兩碗飯，讓某人笑容滿面許久。

飯後，Mahasamut 端了一杯咖啡來到他身邊坐下。Tongrak 回想起早上好友 Vi 發過來的訊息，告訴他 Mahasamut 向她詢問關於自己的事，但她要自己親口告訴那人。

Vi 雖然表示她沒有透露太多，但依 Tongrak 對朋友的了解，她可能已經講了不少，尤其她滿喜歡 Mahasamut 這個人的。至於 Prin，周圍的人都知道她從小就想壓過他。

「你打電話給 Vi 是嗎？」

「嗯，但我告訴她，我更想聽你親口說。」

Tongrak 不解地看向 Mahasamut。

「你才剛罵了那個該死的屁孩，說她浪費時間插手別人的事，既然我不想做出跟屁孩一樣的行徑，只好等你主動親口告訴我。」

Tongrak 看入他關懷的眼神，明白了對方是想等到自己願意吐露，而不是向別人挖掘關於自己的祕密，這讓他感覺很好。

從他成為作家開始⋯⋯或者說他還小的時候，Tongrak 就遇到不少人想打聽他的事，時常讓他感到很不安。

年幼的時候，周圍的人關心他的父母；念書時期關心他的性向；就連他長大了也想打聽他的私生活。

那些人透過旁人得知自己的一切，卻沒人想過要親自詢問本人。

八卦多半加油添醋，那些閒言碎語的人在他背後議論紛紛，有時 Tongrak 都想問他們是不是吃飽太閒了？

要是他們想知道關於他的一切，應該要親自來問他，Tongrak 可以回答所有問題。

然而比起他口中的真相，大家更願意相信流言蜚語，所以他選擇不再解釋，讓他們暢所欲言。Tongrak 希望他們有朝一日也能體會自己的心情，可惜業力回報還不夠快，這也是他們總要來招惹自己的原因。

當 Mahasamut 表示想聽自己親口說時，即使只是很平凡的一點關心，卻讓 Tongrak 感到萬分溫暖。

等等，Tongrak，你瘋了嗎？

「你想知道什麼？」

「你想告訴我什麼？」

Tongrak 忍不住對天一翻白眼，Mahasamut 真是無時無刻都要抓機會調侃他。

他轉過頭，手托住下巴，對上了他的視線。

「那個女孩是我表妹。也不知道他們一家人是不是有什麼毛病，她媽很不喜歡我媽，因為我媽很會賺錢，我這套

公寓、Vi 的那套和 Connor 住的那套，都是我媽給我的。所以當我阿姨打不過我媽時，就派她女兒來攻擊我。」

　　他母親雖然很擅長賺錢，卻完全沒有看男人的眼光，這是 Prin 一家唯一能占上風的事。只要一逮到機會他們就毫不猶豫嘲笑他，但老實說，Tongrak 願意付出一切換取 Prin 家的親情。

　　有時候，他想要的只是和睦的家庭，而不是每個月轉入帳戶裡的錢。

　　「我已經告訴過你，我的家庭成員是什麼德性了。我的父親只追求金錢，母親則像瘋了一樣在男人身上花錢，甚至替我和姊姊取了用來挽回那男人的名字，絲毫不介意自己有多盲目，也不在意我爸是否直接將別的女人帶回家。直到那天，她兒子臉上滿是鮮血……」

　　「什麼意思？」Mahasamut 皺緊了濃眉。

　　Tongrak 指著被頭髮擋住的額頭，眼神暗了下來。

　　「那兩人大吵了一架。我爸是個家暴男，那天晚上用瓶酒砸在我頭上，讓我流了大量的血，也有了這個疤。」Tongrak 回憶起那天母親哭得很凶，姊姊驚恐地站在他的血泊之中，父親沒有反應只是繼續喝酒。

　　在那之後他就昏了過去，直到他醒來，得知母親已經將父親趕了出去，並且禁止兒女以後再提起他。但母親也由原本只花錢在一個男人身上，變成同時買下好幾個男人。

　　「他們兩人最終還是分手了。我表妹一家人馬不停蹄地落井下石，我甚至聽過他們喊我是牛郎的兒子。」Tongrak

曾以為他已經不在意，此刻卻感覺緊握的指尖刺入掌心。

為什麼是他？為什麼他媽媽會放任這種事？為什麼他的家人會變成這個樣子？

Tongrak 拳頭越握越緊，直到手開始麻木。

一隻溫暖的大掌此時握住了他，讓他再度抬起頭，對上男人的視線，繼續談論自己的過去。

他原本以為傷口會癒合，事實證明傷口一直都在。

「我不明白為什麼阿姨家會這麼討厭我，一直想方設法要壓過我。當我成為學校代表時，Prin 也成為代表之一；當我要出國留學，她也跟著出國；當我成為作家有點名氣時，她便指責我抄襲別人。我不明白，他們擁有了我想要卻得不到的親情，卻似乎不以此為足。為什麼不放過我的家人？難道希望我家的人都死了才肯罷休？」

Tongrak 越說越大聲，語氣飽含痛苦。

Prin 從未打敗過他，但他願意示弱，只求對方放過他的家人。

他只是想要平靜的生活而已，這樣的要求過分了嗎？

Tongrak 用力擦了擦眼睛，發現自己不知不覺中落淚。

「你知道男人也能哭的嗎？」

Tongrak 聽到 Mahasamut 的話時，抬頭看向他。

「我沒有哭，我已經忘了這一切。」

他的表情並沒有讓 Mahasamut 退縮，反而用雙手握住他的手。

「你可以不哭，但我想要請求一件事。」

「什麼事？」

「我能抱抱你嗎？」

「……」

Tongrak 有點猶豫，即便內心渴望投入對方的懷抱，但不知是否要接受 Mahasamut 的安慰。

然而就在他遲疑不定時，男人已伸手將他擁入懷中，讓他的頭靠著自己溫暖的胸膛。

「我還沒說可以！」

「我的胸口很溫暖。」

「這是兩碼子事。」

「那你可以因為我不服從命令扣我的錢。」

若說 Tongrak 以自我為中心，這男人肯定大大超越他；若要說 Tongrak 固執，這男人比他更固執也更厚顏無恥。

Mahasamut 的大手緊緊抱住纖細的身軀。

固執的 Tongrak 慢慢將自己的額頭貼靠在男人的肩上，不再堅持。

Mahasamut 輕輕地撫摸著他的背，就只是一個簡單的安慰，想要讓他知道自己陪在他身邊。房裡一片寂靜，只有兩人的心跳聲。

過了一會，Tongrak 抓緊了男人的襯衫。

「我一定會扣你的錢，說到做到。」Tongrak 的聲音逐漸變弱，伴隨著輕柔的抽噎。

Mahasamut 將他抱得更緊，輕輕搖晃，靠近他耳邊低聲說：「好啦，下次讓我罵她吧，我保證會讓她更難堪。」

「你會被批是在欺負女人。」Tongrak 鄭重反對，甚至沒想過這個問題是誰先弄出來的。

「對我來說，男女平等。」Mahasamut 笑笑地說。

Tongrak 沒再說話，只是偎入那溫暖的懷抱，就像無家可歸的孩子般緊緊環住 Mahasamut 寬闊的背。

「看吧，我告訴過你，我的胸膛很溫暖，你是不是很喜歡？」

他的話才一落下，背後就承受一記重拳，但由於下手的人仍然緊貼著他，Mahasamut 只能默默吃痛、悶笑一聲。

他清楚知道自己無法忍受 Tongrak 難過，也不想讓任人傷害懷裡的人。

有些人雖然很固執，但也很可愛。

他指的是誰？也只能是那個人……Tongrak。

美麗的男人擁有一張白皙的臉蛋、高挺的鼻子和紅潤的雙唇，蜜色的雙眼此時緊閉著。很多人都誇他俊美，但 Mahasamut 只想知道對方小時候都吃什麼長大的，為什麼長得如此漂亮又可愛？

他已經看了好一陣子，絲毫不覺得無聊。

「過來。」

Mahasamut 像聽話的忠犬般坐在床上，而那個下令的人只是推倒了他，趴在他的胸口。

「你在幹什麼？」

「明知故問。」

Mahasamut 肯定用了奇怪的眼神看他，才讓 Tongrak 找了更奇怪的理由。

「那是因為你的胸膛很暖。」

如果不是因為這個原因，他肯定不會偎在男人胸口。

Tongrak 陷入沉思，回憶起過往雲煙，讓 Mahasamut 輕撫他的頭髮，他則開始講述自己的故事。

不知道是不是壓抑太久了，Tongrak 毫無保留地敘述著，讓 Mahasamut 知道他的家人、脆弱的姊姊、調皮的外甥女，以及那個屁孩 Prin 的一切。

Mahasamut 靜靜地傾聽，溫柔的眼神看著他，兩人躺在床上，大掌輕撫著他的頭。

自從搬到曼谷後，這是他第一次躺上房間主人的床。

Tongrak 說他很睏、眼睛很痠，還說整晚都沒有睡。他沒告訴自己一夜無眠的原因，在講完故事後便偎在男人胸膛睡著了。

然而這對 Mahasamut 卻是一種折磨……因為打從他們從南方回來後就完全沒做過。

先不論實際的插入，連手或口都不曾用過，就算 Mahasamut 對誘惑有很強大的抵抗力，但隨著他們在一起的日子越來越長，他的內心就愈發動搖。尤其當他看到 Tongrak 那雪白的肌膚以及嗅到他身上淡淡香水味，再加上對方緊貼著自己的身體時，蠢動的慾望便大舉侵襲而來。

Mahasamut 不是木頭，他很高興自己安慰了 Tongrak，但現在誰來安慰他？

「你對我的認識還不夠深。」Mahasamut 咕噥。

銳利的眼神往下看著 Tongrak 纖細的身軀，知道對方喜歡把冷氣溫度調低，再躺進被子裡。

但不知道他是否意識到，他想從自己這裡尋求溫暖？

一思及此，Mahasamut 忍不住輕嘆了口氣。

然而他的折磨還沒結束。Tongrak 發出一聲呻吟，將臉深埋進 Mahasamut 寬闊的胸膛，這撒嬌的行徑是平常清醒時見不到的。

Mahasamut 銳利的雙眼從 Tongrak 的五官來到頸項，一想到自己對這個脖子做過的事便讓他心跳加快，眼神繼續往下落入藏在淺色襯衫下的胸膛，儘管接下來的身體被被子蓋住，但光是他貼在自己身上的觸感，就足以激發他的繽紛想像。

自從認識 Tongrak 後，Mahasamut 便覺得自己對他十分迷戀。

Tongrak 的身體讓他深陷其中。

他的腋窩、纖細的腿甚至下腹都是沒有毛的，每當 Mahasamut 輕舔這些部位都感覺無比滑嫩，他在自己身下嬌喘的樣子更是讓他無法控制，想在那身白皙的皮膚上留下一個又一個吻。

而 Tongrak 除了讓自己更加用力之外，從來沒有阻止過他。

前陣子在漁村的記憶此時浮現在腦海裡。

他甚至不記得自己高潮了幾遍，這應該是他這輩子體驗過最美好的性愛。

大多數人都無法滿足他的慾望，但 Tongrak 不一樣。他不僅接受了自己，還懂得挑戰他。

Mahasamut 腦中有很多事情想做，但要是告訴 Tongrak，他擔心自己會被踢出房間。

「唉。」他的下半身腫得有些痛。

懷中的人兒像是在考驗男人的忍耐力般更往他的懷裡偎了過來，身體不經意擦到了下方高漲的慾望，Mahasamut 忍不住低吼一聲。此時的他很想立刻壓倒對方翻雲覆雨，但協議規定自己在被允許的情況下才能行動。

「嗯？什麼東西頂著我？」半夢半醒的 Tongrak 像是感覺到什麼，嫩手到處亂摸，很快就摸到了問題的來源。

他緩緩睜開雙眼，輕撫著 Mahasamut 腫脹的部分。

「已經很硬了。」

就算他不說，Mahasamut 也知道。

「真的很硬啊。」作家再度強調這個事實。

他的手上下輕撫著男人下半身，接著又抓住，感受褲子之下的熱度，雖然硬到讓他感覺有些喘不過氣，但手仍然停在上面，彷彿想要將 Mahasamut 逼瘋。

Tongrak 抬起頭看他，忍不住指責：

「這樣戳著我會睡不著。」

「我知道！」Mahasamut 咆哮出聲，直視 Tongrak 的雙

眼，「你這樣一直摸只會越來越硬。」

「那我該怎麼辦？」Tongrak 低頭看了一眼，仍然沒有停下動作。

兩人四目相交，Tongrak 瞇細了雙眼，Mahasamut 眼中則閃爍著即將爆發的慾望，他的大掌覆在 Tongrak 手上，開口問：

「你能給我更多嗎？」

「我睏了。」Tongrak 假裝打了個呵欠。

「真的嗎？」

「嗯？」

「但我想現在應該有人醒了。」

「嗯……」

Mahasamut 指的並不是 Tongrak 而是他手掌下的東西，當男人將他的身體拉近，用被他的手愛撫的下半身摩擦時，Tongrak 的嘴唇逸出了呻吟。

不僅如此，對方還挑逗般地來回輕撞。

誰還忍得下去？

「你這麼盯著我的嘴唇，為什麼不給我一個吻？」Tongrak 沒有停下他的挑逗，朱唇微啟，讓他看到自己的柔軟舌頭，像是在挑釁對方。

Mahasamut 俯身想封住那張誘人的嘴。

然而 Tongrak 很快就躲開，手探進了男人的褲子裡，深入撫摸那炎熱的分身，聽到他因興奮而沙啞的聲音，接著湊近了他耳邊。

「我猜你更想讓我的嘴巴做其他的事。」語畢便咬了對方一口，又輕舔起咬過的地方。

Tongrak 大概不知道，要是他再這樣下去，情況會變得更糟。

Mahasamut 將他翻倒在床上，鎖住了他的手腕，深邃眼眸裡有著優越感，低咆聲讓人起了雞皮疙瘩。

「你明知道我不想只用手。」

Tongrak 揚起眉，張開了嘴，像是要他放馬過來。

男人往上移動，雙腿跨在 Tongrak 雙肩的位置，大手抓住了他的脖子，眼底有著掩不去的慾望。彷彿被他的慾望傳染，Tongrak 也感覺下腹一陣燥熱。

男人將自己的褲襠靠近了 Tongrak，看著身下的人用牙齒咬住拉鏈往下拉，臉貼近了他的堅挺。

正當他準備伸出舌頭時，外頭傳來了門鈴聲。

「該死的！」Mahasamut 忍不住大咒出聲。

Tongrak 也很惱火，當他看到 Mahasamut 臉上的沮喪表情時，又輕笑一聲。

「去看看吧。」

「現在？」Mahasamut 低頭看向自己的下半身。

「難道你想讓我去？」Tongrak 揚起眉毛問。

男人很快就有答案，他怎麼可能讓這個男人就這麼走出去？

「我可以把他們趕走嗎？」

「可以。」

「如果是 Mook 小姐呢？」

「把她趕走。」

「如果是 Vi 姐呢？」

「讓她回去。」

「如果……」

「不管是誰全都趕走，再回來找我！」

Mahasamut 快步朝門口走了過去，打算趕走在這一刻打斷他們的任何一個人。

然而，出現在門口的卻是他想都沒想過的人物。

「咦，你怎麼會在這裡？」

「Khom？」

那個眼神明亮、看起來正是自己同鄉的人，此時正站在他的外國男友身邊。兩人的目光都下意識地集中到他的下半身，讓 Mahasamut 露出尷尬的笑容。

該死啊，他真正的老闆回來了！

（下集待續）

國家圖書館出版品預行編目資料

海洋之戀/Mame作；甯芙譯. -- 初版. -- 臺北市：春光出
版，城邦文化事業股份有限公司出版：英屬蓋曼群島
商家庭傳媒股份有限公司城邦分公司發行, 2024.10
　面；　　公分. --(南風系)
譯自：Love Sea ด้องรักมหาสมุทร
ISBN 978-626-7282-92-2 (上冊：平裝)

868.257　　　　　　　　　　　113012053

南風系015

海洋之戀‧上冊

作　　　者／Mame
譯　　　者／甯芙
企劃選書人／王雪莉
責任編輯／王雪莉、張婉玲

版權行政暨數位業務專員／陳玉鈴
資深版權專員／許儀盈
行銷企劃主任／陳姿億
業務協理／范光杰
總　編　輯／王雪莉
發　行　人／何飛鵬
法律顧問／元禾法律事務所　王子文律師
出　　　版／春光出版
　　　　　　臺北市 115 南港區昆陽街 16 號 4 樓
　　　　　　電話：（02）2500-7008　傳真：（02）2502-7676
　　　　　　部落格：http://stareast.pixnet.net/blog E-mail：stareast_service@cite.com.tw
發　　　行／英屬蓋曼群島商家庭傳媒股份有限公司城邦分公司
　　　　　　臺北市115 南港區昆陽街16 號 8 樓
　　　　　　書虫客服服務專線：（02）2500-7718／（02）2500-7719
　　　　　　24小時傳真服務：（02）2500-1990／（02）2500-1991
　　　　　　服務時間：週一至週五上午9:30～12:00，下午13:30～17:00
　　　　　　郵撥帳號：19863813　戶名：書虫股份有限公司
　　　　　　讀者服務信箱E-mail: service@readingclub.com.tw
　　　　　　歡迎光臨城邦讀書花園 網址：www.cite.com.tw
香港發行所／城邦（香港）出版集團有限公司
　　　　　　香港九龍九龍城土瓜灣道86號順聯工業大廈6樓A室
　　　　　　電話：（852）2508-6231　　傳真：（852）2578-9337
　　　　　　E-mail：hkcite@biznetvigator.com
馬新發行所／城邦（馬新）出版集團　Cite（M）Sdn. Bhd
　　　　　　41, Jalan Radin Anum, Bandar Baru Sri Petaling,
　　　　　　57000 Kuala Lumpur, Malaysia.
　　　　　　Tel:（603）90578822 Fax:（603）90576622 E-mail:cite@cite.com.my

封面設計／蔡佩紋
內頁排版／芯澤有限公司
印　　　刷／高典印刷有限公司
■ 2024年10月3日初版一刷　　　　　　　　　　　　Printed in Taiwan

售價／399元

城邦讀書花園
www.cite.com.tw

情不知所起，一往而深。
尋著心之所向，乘著拂曉清風，
流往那剎那即永恆之境。

情不知所起，一往而深。
尋著心之所向，乘著拂曉清風，
流往那剎那即永恆之境。